دھوپ کب نکلے گی

(افسانے)

الطاف حسین چاہت

فکشن ہاؤس

لاہور ● حیدر آباد ● کراچی ●

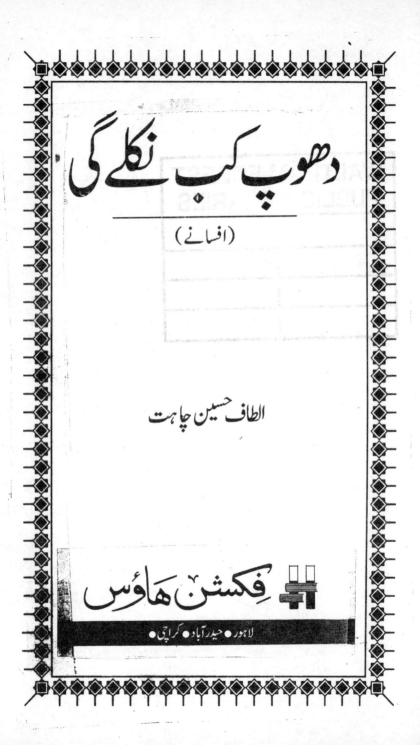

نام کتاب	:	دھوپ کب نکلے گی (افسانے)
مصنف	:	الطاف حسین چاہت
اہتمام	:	ظہور احمد خاں
پبلشرز	:	فکشن ہاؤس لاہور
کمپوزنگ	:	فکشن کمپوزنگ اینڈ گرافکس، لاہور
پرنٹرز	:	سید محمد شاہ پرنٹرز، لاہور
سرورق	:	ریاض ظہور
اشاعت	:	2012ء
قیمت	:	-/160 روپے

تقسیم کنندہ:

فکشن ہاؤس: بک سٹریٹ 39- مزنگ روڈ لاہور، فون: 042-37249218-37237430

فکشن ہاؤس: 52,53 رابعہ سکوائر حیدر چوک حیدر آباد، فون: 022-2780608

فکشن ہاؤس: نوشین سنٹر، فرسٹ فلور دوکان نمبر 5 اردو بازار کراچی

فکشن ہاؤس

● لاہور ● حیدر آباد ● کراچی

e-mail: fictionhouse2004@hotmail.com

گیارہ افسانے

گیارہ سچے پاکستانیوں

جناب مولوی فرید احمد شہید، جناب فضل القادر چوہدری مرحوم،

جناب نورالامین مرحوم۔ جناب خواجہ خیرالدین مرحوم،

جناب عبدالمنعم خان مرحوم، جناب ڈاکٹر اے ایم مالک مرحوم،

بیگم اختر سلیمان مرحومہ، جناب شفیق الاسلام،

ایر کموڈور (ریٹائرڈ) جناب ایم ایم عالم، جناب راجہ تری دیورائے

اور

جناب محمود علی

کے نام

فہرست

پیش لفظ

الطاف چاہت صاحب کے افسانوں کے اس مجموعے کا دیباچہ لکھنے کے لئے جب مجھے کہا گیا تو میں نے با دل نخواستہ ہاں کردی اور وعدہ کرلیا کہ ایک ہفتے کے اندر اندر لکھ کر بھیج دوں گا۔ ذہن میں تھا کہ افسانے ہی تو ہیں۔ سرسری اُچٹتی نظر سے دیکھ لوں گا اور کچھ لکھ ڈالوں گا۔ مسودہ آ گیا تو میں نے اسے باوجود اس احساس کے وعدہ ایک ہفتے کا کیا تھا۔ اپنی میز ہی میں پڑا رہنے دیا۔ حتیٰ کہ چاہت صاحب نے پہلے یاد دہانیاں اور پھر اصرار شروع کر دیا تنگ آ کر سرسری نظر ڈالنے کے لئے مسودہ کھولا۔ پہلے ایک دو افسانے دیکھے، عامیانہ سا رنگ نظر آیا۔ پھر یونہی صفحے پلٹتے پلٹتے ایک جگہ سے پڑھنے لگا۔ تو ضرورت پڑی کہ پیچھے جاؤں، پیچھے گیا ۔۔۔۔ اور پیچھے گیا، حتیٰ کہ شروع سے پڑھنے لگا" ۔"ڈوبتی آنکھوں کا نور" ۔افسانے کی علامت میں اُلجھ کر رہ گیا۔ آگے چلا۔ بالشتیے، آٹھویں گرہ، آندھی، اندھے اور اندھیارا اور آخر میں "اب کاہے کو روٹھے ہو"۔ علامتوں کی ایک دنیا نظر آئی۔ ہر علامت مضمون کے اعتبار سے ایک نیا رنگ لئے، نئے تصور کی آئینہ دار بن کر دل ونظر کو قائل کرتی دکھائی دی۔ معلوم ہوا کہ یہاں سرسری نگاہ سے کام نہ چلے گا۔ بلکہ یہاں باریک بینی کی ضرورت ہے۔

علامتی افسانہ کوئی نئی صنف نہیں ہے۔ اس انداز میں پہلے بھی بہت لکھا جا چکا ہے۔ مگر جو بات چاہت کے افسانوں میں نظر آئی۔ پہلے کبھی مشاہدے میں نہیں آئی۔ ہر افسانہ بظاہر ایک عام سی کہانی لگا۔ نہ تحریر پیچیدہ، نہ ہی تکنیک میں کوئی پیچاک، عنوان بالکل جیسے رومانوی کہانیوں کے ہوتے ہیں۔ یا جیسے کوئی افسانوی ادب لکھنے والا بڑے بچوں یا نوجوانوں کے لئے کوئی سسپنس یا ایڈونچر سٹوری لکھ رہا ہو۔ آدم خور ہی کو لے لیجئے۔ یوں لگتا ہے۔ جیسے کوئی شکار کی کہانی ہو۔ منظر بھی وہی واقعات بھی ویسے ہی۔ مگر علامت کچھ اور ہی کہتی ہے۔ "اب کاہے کو روٹھے ہو" میں رومانس

کی ہلکی سی چاشنی ہے۔ جو آگے چل کر بہت کڑوی حقیقت کے احساس میں بدل جاتی ہے۔ ''بڑھاٹی سی'' میں ڈرامائی عنصر کا غلبہ ہے۔ کہانی کا چلتے چلتے رک جانا، زنجیر کھینچ کر چلتی گاڑی کو روک دینے کے مماثل ہے۔ مجھے اس افسانے کے کردار بہت دلچسپ لگے۔ اور پھر گاڑی کے ساتھ ساتھ دو کہانیوں کا چلنا، کہانی کار کی مہارت کا منہ بولتا ثبوت ہے۔

افسانے میں علامت کا استعمال اب بہت حد تک کم ہو گیا ہے۔ اگر ہے بھی تو اسے بڑے احتیاط سے بروئے کار لایا جاتا ہے۔ مگر چاہت صاحب بہت نڈر واقع ہوئے ہیں۔ اپنے خیال کے مؤثر اظہار کے لئے بڑے دھڑلے سے علامت لاتے ہیں۔ اور بے دھڑک بات کہہ جاتے ہیں۔ بھینسا اور ''امریکن سنڈی'' میں وہ جو کچھ کہہ گئے ہیں۔ شاید بہت سے بڑے افسانہ نگار اور انقلاب پسندی کے دعویدار قلمکار بھی کہتے ہوئے ہچکچائیں۔ دراصل ان میں وطن پرستی اور حب الوطنی اس درجہ موجود ہے کہ وہ اس کے اظہار کے معاملے میں کسی دوسرے خیال کو خاطر میں نہیں لاتے۔ نظریے کی صداقت پر ان کا پختہ یقین ''ڈوبتی آنکھوں کا نور'' اور ''آندھی اندھے اور اندھیارا'' میں جھلکتا صاف نظر آتا ہے۔ اسی طرح مشرقی پاکستان کے الگ ہو جانے کا غم وہ کبھی نہیں بھولتے، اور لگتا ہے کبھی نہیں بھولیں گے۔ قائداعظمؒ کی ذات میں اُنھیں عزم و عمل کا پیکر دکھائی دیتا ہے۔ اور وہ اُنھیں بھی ایک علامت کے طور پر پیش کرتے ہیں۔

ایک اچھا افسانہ نویس، جو علامتی رنگ میں لکھتا ہے۔ اپنی علامت کی آخر تک حفاظت کرتا ہے۔ اور اسکا بھید صرف اس وقت کھولتا ہے۔ جب تجسس اور حیرت قاری کی برداشت سے باہر ہو جاتے ہیں۔ یہی افسانے کا کلائمیکس ہے۔ چاہت میں یہ خوبی بدرجہ اتم پائی جاتی ہے۔ وہ نہایت مہارت سے اپنی علامت کی حفاظت کرتے ہیں۔ اور آخری وقت پر اس کی چابی قاری کے حوالے کرتے ہیں۔

زبان و بیان پر اُن کی گرفت کبھی ڈھیلی نہیں پڑتی۔ چھوٹی سے چھوٹی تفصیل بیان کرتے ہوئے بھی اُن کی تحریر میں جھول نہیں آتا۔ مکالمے شاندار اور جاندار ہوتے ہیں۔ اور بعض اوقات تو افسانہ کے بڑے حصے پر محیط نظر آتے ہیں۔ اس سے ظاہر ہوتا ہے کہ وہ افسانہ نویس سے زیادہ

ڈرامہ نویس ہیں۔اُن کا افسانہ پڑھتے ہوئے یوں محسوس ہوتا ہے جیسے کوئی ڈرامہ کسی وسیع وعریض سٹیج پر کھیلا جا رہا ہو۔

چاہت صاحب جس طرح قومی اور ملی مسائل پر لکھ رہے ہیں۔اس طرح بہت ہی کم لوگوں نے لکھا ہے۔میری دعا ہے کہ وہ اسی طرح لکھتے رہیں۔اور صحیح قومی اور ملی شعور کی بیداری کا باعث بنیں۔جس کی آج بہت ضرورت ہے۔

ڈاکٹر مظفر عباس
پرنسپل ایف سی کالج لاہور
نومبر 2000ء

ایک منفرد افسانہ نگار

کہانی بنانے اور کہانی لکھنے کا فن تخلیق کار کی متخیلہ' تجربے اور ہنر مندی کے امتزاج سے ترتیب پاتا ہے۔ جہاں تک کہانی میں حسن کاری کا تعلق ہے تو یہ لکھنے والے کے سلیقے پر منحصر ہے کہ وہ کس خوبصورتی سے واقعات یا تخیلاتی فضا سے کہانی کا جوہر کشید کر کے پڑھنے والے کو دم بخود کرتا اور اس کی حسرتوں میں اضافہ کرتا ہے۔ ہمارے یہاں گذشتہ ایک صدی سے زائد عرصہ سے ناول اور افسانے کی صورت میں کہانی لکھی جا رہی ہے۔ ان کہانیوں میں موضوعات اور اسلوب کا تنوع اپنے بوقلموں رنگوں کے سبب تحیرزا کیفیتوں کو جنم دیتا ہوا کہانی کو اس سطح پر لے آیا ہے جہاں اس کے قدم مضبوطی سے جمے ہوئے ہیں اور اس کی وسعت و کشادگی اس کے وسیع تر امکانات کی خبر دیتی ہے۔

پچھلے پچاس برس کے دوران کہانی کی دنیا میں ایک انقلاب آفریں صورت حال نظر آتی ہے۔ خصوصاً" اُردو افسانے نے اپنی ہیت' موضوع اور اسلوب کے حوالے سے جن نئی دنیاؤں کو منکشف کیا ہے وہ ادب کے قاری کو حیرت میں ڈالنے کے لیے کافی ہے۔ اب اردو افسانہ محض مقامی طرز احساس سے وابستہ نہیں رہا بلکہ اس نے فرانس کے علامت نگاروں سمیت مغرب کے جدیدیت پسندوں کے شانہ بشانہ اپنی راہیں استوار کی ہیں۔ مغرب کے زیر اثر پروان چڑھنے والے افسانے میں ہر نوع کے رنگ ملیں گے۔ لیکن یہ رنگ اپنے عہد کے طرز احساس سے آمیخت ہو کر ایک بالکل نئی اور انوکھی صورت حال کی عکاسی کرتے ہیں۔ گذشتہ چند دہائیوں میں شاعری کی طرح افسانہ لکھنے والوں کی تعداد میں بھی خاطر خواہ اضافہ ہوا ہے۔ افسانہ نگاروں کی فہرست بنانے بیٹھیں تو اس کے لیے طویل فرصت درکار ہے۔ تاہم ایک بات طے ہے کہ ان افسانہ نگاروں نے روایت اور جدت کے امتزاج سے کہانی کی جو نئی طرح ڈالی ہے۔ وہ مغرب میں لکھی جانے والی جدید کہانیوں کو آئینہ دکھاتی ہے۔

پروفیسر الطاف حسین چاہت کا شمار بھی ہمارے ان جدید افسانہ نگاروں میں ہوتا ہے جنھوں تکنیک اور اسلوب میں پیہم تجربوں سے گذرتے ہوئے افسانے میں ہونے والی تبدیلیوں کو نہ صرف محسوس کیا ہے بلکہ انہیں اس سلیقے اور خوبصورتی سے کہانی کی بنت میں استعمال کیا ہے کہ وہ جدید افسانہ نگاروں کی کھیپ میں ایک قابل لحاظ سطح کو

چھونے میں کامیاب رہے ہیں۔

الطاف حسین چاہت کے افسانوں کی اصل حقیقت' جسے نظر انداز کر دیا گیا' اس معاشرتی اور تہذیبی طرز احساس کے ساتھ جڑی ہوئی ہے جس میں رہ کر وہ کار تخلیق سرانجام دے رہے ہیں۔

وہ اس معاشرے کے فرد ہیں جس نے ہمیشہ تخلیقی عمل کے خلاف ایک محاذ کھڑا کیے رکھا ہے۔ تخلیق کی ہلکی سی چنگاری بھی اس معاشرے کو قبول نہیں اور وہ اسے بجھانے اور خاکستر کرنے کے جتن کرتا ہے کیونکہ اس کا خیال ہے کہ اس چنگاری کے آگ کا الاؤ بننے میں دیر نہیں لگتی اور آگ کا یہ الاؤ اس کی تمام تر منافقتوں اور خباثتوں کو جلا کر بھسم کر دے گا۔ آپ الطاف حسین چاہت کی تمام کہانیوں کے بین السطور میں اتر کر اور اس کے کرداروں پر غور کر کے دیکھ لیجیے۔ وہ ہر جگہ معاشرے کے منافقانہ طرز عمل اور جاہلانہ رویوں کے خلاف نبرد آزما نظر آتے ہیں۔

یہ منافقانہ طرز عمل اور جاہلانہ رویئے' سچائی کا نابود کرنا چاہتے ہیں اور ہماری تہذیبی صداقتوں کو ملیا میٹ کر کے ہماری تہذیب کی اس آخری نشانی کو بھی ظلمتوں کے پردے میں گم کر دینا چاہتے ہیں جو ایک ابدی سچائی کے طور پر اس خطے کے خوشگوار مستقبل کی ضمانت ہے۔ زیر نظر مجموعے کا افسانہ ''ڈوبتی آنکھوں کا نور'' اسی ابدی صداقت کی گواہی دیتا نظر آتا ہے۔ گن بوٹ کا کپتان اور رام پرشاد' سرحد پار سے برآمد کیے ہوئے کردار نہیں بلکہ اسی معاشرے کے جیتے جاگتے لیکن تہ آستین' دبکے ہوئے کردار ہیں جو روشن آنکھوں کو بجھانے اور تاریک کرنے کے لیے اپنی منافقتوں اور خباثتوں کی بندوقیں تانے ہوئے ہیں لیکن ان تمام حربوں اور ہتھکنڈوں کے باوجود روشنی کی ابدیت رہتی ہے۔

معاشرتی طرز احساس کی کئی ایک مثالیں زیر نظر کتاب سے پیش کی جا سکتی ہیں۔ مثلاً'' افسانہ ''بالشتیے'' ہی کو لیجیے۔ جس معاشرے میں بالشتیے تمام وسائل پر قابض ہو جائیں اور رزق کے تمام سوتوں پر دسترس حاصل کر لیں وہاں قد آوری ایک تہمت بن کر رہ جاتی ہے۔ اور نوبت یہاں تک پہنچتی ہے کہ قد آور بھی بالشتیے بننے کی خواہش کرنے لگتے ہیں۔ یہ افسانے اپنے وسیع تناظر میں ایک انتہائی تلخ حقیقت کو سامنے لاتا ہے۔ اس ملک کی کیا حالت ہو گی جس کے بادشاہ تک بالشتیوں کے رہن رکھے ہوئے ہوں۔

ملکی سطح پر دہشت گرد وہ بالشتیے ہیں جن کے آگے حکومتیں بھی عاجز ہیں اور بین الاقوامی سطح پر ورلڈ بینک اور آئی ایم ایف کے بالشتیے ہونے میں کیا شبہ رہ جاتا ہے جن کی مرضی کے بغیر امور حکومت سر انجام نہیں دیئے جا سکتے۔ افسانہ ''بھینسا'' بھی اسی نوع کی یا اس سے ملتی جلتی صورت حال کی عکاسی کرتا ہے۔ افسانہ ''بڈھا ٹی سی'' جنریشن گیپ کی ایک خوبصورت عکس بین ہے۔ قدیم نسل اور جدید نسل کے درمیان اتنا فاصلہ پیدا ہو چکا ہے کہ مکالمے کے بحران نے جنم لیا ہے۔ جدید نسل' پرانے لوگوں کو خبطی اور پاگل سمجھتی ہے جبکہ پرانے لوگ خود کو جدید عہد کے تقاضوں سے ہم آہنگ نہیں کر سکے۔ تضاد کی یہ کیفیت اس افسانے میں نہایت سلیقے سے پیش کی گئی ہے۔

الطاف حسین چاہت کہانی بنانے کے فن سے پوری طرح واقف ہیں۔ وہ نہ صرف اپنے موضوعات میں تنوع پیدا کرنے کا ہنر جانتے ہیں بلکہ علامتوں کے ذریعے انہیں نبھانے کا شعور بھی رکھتے ہیں۔ ان کے افسانوں کے کردار اسی معاشرے کے زندہ اور چلتے پھرتے لوگ ہیں' جن کی نفسیات پر انہیں پورا عبور حاصل ہے۔

شاعری کا ارادہ باندھ کر اپنے ادبی سفر کا آغاز کرنے والے الطاف حسین افسانہ نگار بن گئے تو اس میں کوئی اچنبھے کی بات نہیں۔ شاعری نے ان کی تہذیب نفس کا فریضہ انجام دے کر ان کی افسانہ نگاری کے لیے راہ ہموار کی۔ ان کے پختہ اور کسے کسائے جملے شاعری کی دین ہیں جن میں کہیں بھی جھول نظر نہیں آتا اور پھر یہ جملے ایک دوسرے سے مربوط ہو کر ایک منظر نامہ تخلیق کرتے ہیں جو قاری کو پوری طرح اپنی گرفت میں لے لیتا ہے۔ میں پروفیسر الطاف حسین چاہت کو ان کے دوسرے افسانوی مجموعے کی اشاعت پر مبارکباد پیش کرتا ہوں اور امید رکھتا ہوں کہ ان کی تخلیقات کی کھلے دل سے پذیرائی کی جائے گی۔ ان کی انفرادیت یہ ہے کہ انہوں نے اردو افسانے کے منطقے میں اپنے متنوع اسلوب اور موضوعات کے حوالے سے ایک نئی جہت دریافت کی ہے۔

سید نواز حسن زیدی

۲۰۰۱ - ۰۱ - ۱۱

دھوپ کب نکلے گی

سوچتے سوچتے اس کا دماغ چکرا گیا تھا۔ مگر ایک سوچ تھی کہ اس کے ذہن سے محو ہی نہ ہوتی تھی۔ وہ بار بار اس ظالم سوچ سے پیچھا چھڑانے کے لئے اپنا خیال کسی اور سمت ڈالنے کی کوشش کرتا مگر اس کے دل و دماغ پر غم واندوہ اور حسرت و یاس کے تاریک بادل سایہ کئے ہوئے تھے۔ وہ کسی طور بھی قرار نہ پاتا اور گہری سوچ میں ڈوب کر کسی ایک چیز پر پاگلوں کی طرح نظریں گاڑے دیر تک بے حس و حرکت بیٹھا رہتا۔ حتیٰ کہ کسی نہ کسی مداخلت سے اس کے خیال کا سلسلہ منقطع ہو جاتا۔ لیکن جونہی فراغت اور تنہائی کا احساس ہوتا' خیال کا ناطہ وہیں سے جڑ جاتا جہاں سے منقطع ہوا ہوتا اور وہ پھر نہ جانے کہاں سے کہاں پہنچ جاتا۔

وہ صبح سے یونہی بیٹھا تھا۔ آج اس نے زیادہ کام بھی نہ کیا تھا۔ حالانکہ وہ کام کرنا پسند کرتا تھا۔ اور دفتر میں ہمیشہ مصروف رہتا تھا۔ تنگ آ کر اس نے کمرے میں ٹہلنا شروع کر دیا۔ اس دوران اس کے قدم غیر ارادی طور پر ایک جگہ رک گئے۔ دیوار پر قائداعظم کی تصویر آویزاں تھی۔ اور نیچے ان کا ارشاد تحریر تھا ''اپنا کام دیانت داری اور محنت، لگن اور حوصلے سے کیجئے۔ انشا اللہ بڑی سے بڑی رکاوٹ بھی آپ کا راستہ نہ روک سکے گی''

اس نے بار بار اس تحریر کو پڑھا۔ اگرچہ پہلے نہ جانے کتنی بار اسے پڑھ چکا تھا۔ لیکن آج یہ تحریر اس کے لئے خاص دلچسپی کا باعث بنی ہوئی تھی۔ وہ کچھ دیر وہاں کھڑا رہا۔ پھر کچھ سوچ کر باہر چلا گیا۔ اور دفتر کے صحن میں کرسی ڈلوا کر بیٹھ گیا۔ دو دن کی موسلا دھار بارش کے بعد موسم خاصا خوشگوار ہو چکا تھا۔ اور ہلکی ہلکی دھوپ بڑی بھلی معلوم ہوتی تھی۔ اس نے سورج کی طرف دیکھا۔ سورج پوری آب و تاب سے چمک رہا تھا البتہ کبھی کبھار سیاہ اور گھنیرے بادلوں کے چھوٹے چھوٹے ٹکڑے اس کے سامنے سے گزر جاتے یا لمحہ بھر کے لئے رک کر اسے گہنانے کی کوشش کرتے اور پھر اپنی ناکامی کا اعتراف کرتے ہوئے ہٹ جاتے۔

''سورج حقیقت ہے'' وہ بڑبڑایا'' اور بادل جھوٹ۔ لگاتار دو روز تک سیاہ بادلوں نے سورج کو چھپائے رکھا۔ لیکن دنیا تاریک نہ ہو سکی۔ آخر سورج ہی کا بول

بالا ہوا۔گھٹائیں اس کا کچھ بھی نہ بگاڑ سکیں۔لیکن سورج چھپ جائے تو دنیا اندھیر ہو جاتی ہے''۔وہ مسلسل بڑبڑائے جا رہا تھا۔بادل کے چھوٹے چھوٹے ٹکڑے اب بھی سورج کی طرف بڑھ رہے تھے۔جس سے وہ لمحہ بھر کیلئے پریشان ہو جاتا۔پھر جلد ہی مطمئن ہو جاتا۔

''جب بڑی بڑی گھٹائیں سورج کا کچھ نہیں بگاڑ سکیں تو ان ٹکڑوں کی کیا حیثیت ہے''

وہ انہی خیالات میں گم تھا۔کہ چپڑاسی نے آکر اسے چونکا دیا۔

''ارشد بابو! آپکو صاحب بلا رہے ہیں''

اور وہ کچھ کہے بغیر تیزی سے ''صاحب'' کے کمرے کی طرف چل دیا۔صاحب کسی سے ٹیلیفون پر کچھ بات کر رہے تھے انہوں نے اسے بیٹھنے کا اشارہ کیا اور خود بات چیت میں مشغول رہے۔وقتاً فوقتاً وہ ''جی۔جی'' کہہ دیتے تھے پھر انہوں نے بہت اچھا کہہ کر ٹیلیفون رکھ دیا۔

''ارشد صاحب! کیا آپ نے واقعی اس کے روپے لئے ہیں؟ دیکھئے میں اس لئے کہہ رہا ہوں۔کہ اگر کوئی ایسی بات ہے۔تو مجھے بتا دیں تا کہ میں کچھ کر سکوں اور معاملہ آگے نہ بڑھے۔ڈی۔ایس۔پی صاحب بھی یہی کہہ رہے تھے۔'' صاحب نے ایک ہی سانس میں ساری بات کہہ ڈالی۔

''صاحب مجھے اپنے بچوں کی قسم ہے میں نے اس کے روپے نہیں لئے۔میں تو اس کی دوکان میں داخل تک نہیں ہوا۔اس نے نہایت درد بھرے لہجے میں التجا کے طور کہا۔لیکن صاحب نے پھر پینترا بدلا۔

''آپ کے سامنے کسی نے اس کی تجوری میں ہاتھ مارا ہو۔یا آپ کو کسی پر شک گزرا ہو۔یا اب شک ہے کہ کسی نے ایسی حرکت کی ہے۔تو بھی بتا دیں''

''سر آپ تو جانتے ہی ہیں۔میں نے نہ تو آج تک ایسا کام کیا ہے۔اور نہ ہی ایسے کام کا حصہ دار بننا پسند کیا ہے۔بلکہ میں تو کسی کو حرام کی طرف جانے بھی نہیں دیتا۔

''وہ اپنی صفائی پیش کرتے ہوئے بولا۔''خیر آپ کے بارے میں مجھے بخوبی علم ہے۔لیکن بھئی پیسوں وغیرہ کا معاملہ ایسا ہی ہوتا ہے۔کبھی کبھی انسان مجبور ہو کر ایسی

حرکت کر بیٹھتا ہے۔'' صاحب نے جواب دیا۔

''صاحب میں نے اپنے بچوں کی قسم کھائی ہے۔ حالانکہ بچوں ہی کے لئے انسان سب کچھ کرتا ہے۔ اگر آپ کہیں تو میں انہیں مسجد لے جانے کے لئے تیار ہوں اور تو میرے پاس کوئی متاع نہیں'' وہ رونے لگا۔

''نہیں نہیں ارشد صاحب ایسی بات کوئی نہیں۔ بچوں کا نگہبان خدا تعالیٰ ہے۔ آپ فکر نہ کریں میں بات کرتا ہوں'' ارشد کی باتوں سے غالباً ان کا دل بھی پسیج گیا تھا۔ انہوں نے قدرے غصے میں ٹیلیفون اُٹھایا۔ نمبر ڈائل کئے اور بولے ''جی میں نے معلوم کرلیا ہے۔ اس کے پاس کچھ نہیں ہے۔ نہ ہی اسے کچھ پتہ ہے۔''۔ اُدھر سے کچھ کہا گیا۔

''وہ سب جھوٹ ہے'' صاحب نے جواب دیا۔

اُدھر سے بولنے والے شخص نے پھر کچھ کہا اور صاحب نے جھٹ جواب دیا۔

''مجھے اس کے بارے میں تسلی ہے۔''

دوسری طرف سے پھر کچھ کہا گیا۔

''جی نہیں، میں اسے بالکل پولیس کے حوالے نہیں کروں گا۔'' صاحب نے نہایت جرأت سے فیصلہ دے دیا۔ دوسری طرف سے پھر کچھ کہا گیا اور صاحب نے اسی انداز میں کہا۔

''میں ہر قسم کی صورت حال کا مقابلہ کروں گا۔'' یہ کہہ کر انہوں نے ٹیلیفون پٹخ دیا۔

''ارشد صاحب آپ کام کیجئے۔ جو کچھ ہوگا دیکھا جائے گا۔''

اس کا حوصلہ بڑھ گیا۔ وہ خوشی خوشی باہر نکلا۔ اور اپنے کمرے میں آ کر بیٹھ گیا۔ جہاں اس کی نظر قائداعظم کی تصویر اور ان کے ارشاد پر جا پڑی۔ اپنا کام دیانتداری، محنت، لگن اور حوصلہ سے کیجئے......''

اور وہ کام میں مشغول ہوگیا۔ کام بہت کم تھا۔ اس لئے جلد ہی ختم ہوگیا۔ اس نے کاغذات سے نظریں ہٹائیں۔ تو وہ ایک بار پھر تصویر پر مرکوز ہو گئیں۔ لبوں پر سنجیدہ تبسم اور ماتھے پر اعتماد کی شکنیں لئے ہوئے بھورے رنگ میں پینٹ کیا ہوا چہرا اس کے لئے ہمیشہ سے ترغیب کا باعث رہا تھا اور اس نے اس چہرے

تصویر میں ہی نہیں، ہنستے بولتے اور تقریر کرتے بھی دیکھا تھا۔ وہ سلسلے کی کڑیاں ملاتا ہوا تخیل ہی میں اس زمانے میں جا پہنچا جب تحریک پاکستان زوروں پر تھی۔ ہندوستان کی تقسیم کا اعلان کسی وقت بھی متوقع تھا اور بلوے ہو رہے تھے۔ پھر قیام پاکستان کا سنتے ہی وہ سب کچھ چھوڑ چھاڑ کر اپنے خاندان کے ہمراہ پاکستان روانہ ہو گیا تھا۔ حالانکہ اس کے محلے داروں اور اس کے باپ کے ساتھ کاروبار میں شریک ہندو نے اُنہیں ہر قسم کے تحفظ کا یقین دلایا تھا۔ مگر اِس کے والد نے جواب دیا تھا۔

"لالہ جی ہم تو سچائی کے پیچھے جا رہے ہیں۔ ایک ٹکڑا زمین کے پیچھے نہیں۔"

پھر اس ہندو نے یہ بھی کہا کہ وہ ذرا ٹھہر جائیں برسات کا موسم نکل جائے اور واقعی بادل بھی گھر گھر کر آ رہے تھے۔ اور بارش بھی ہو رہی تھی۔ مگر وہ نہ مانے۔

"پاکستان میں دھوپ نکلی ہوئی ہے۔ لالہ جی۔" اس نے کہا۔

اور وہ پاکستان آ گئے۔

یہاں اس کو اسی دفتر میں بطور کلرک ملازمت مل گئی۔ اس وقت بھی قائد اعظم کی تصویر اس کی میز کے سامنے تھی۔ جب کبھی وہ کام سے تھک کر نظریں ہٹا لیتا تو اس کی نظریں تصویر سے جا ٹکراتیں۔ وہ تقویت حاصل کرتا اور پھر کام میں مشغول ہو جاتا۔ اسی دفتر میں اس کا تبادلہ شعبہ خوراک میں ہو گیا۔ وہ کبھی کبھی چھاپہ مار پارٹی کے ساتھ بھی جاتا۔ اور دکانداروں سے کھانے پینے کی اشیاء کے نمونے حاصل کرتا۔ جنہیں بعد میں تجزیئے کے لئے لیبارٹری بھیج دیا جاتا۔ کئی بار اسے ایسے انسپکٹروں کے ساتھ جانے کا بھی اتفاق ہوا جو اپنی مٹھی گرم کر لیتے اور لاکھوں افراد کے زندگیاں کسی سماج دشمن کی بے رحم اور سرد مٹھی میں دینے سے گریز نہ کرتے۔ اسے بھی مال غنیمت سے کچھ حصے کی پیشکش کی جاتی۔ قلیل تنخواہ کے باعث اس کا دل بھی چاہتا کہ وہ یہ رقم قبول کر لے لیکن جھٹ اس کی نظروں میں قائداعظم کے الفاظ گھومتے اور وہ انکار کر دیتا۔ پھر اس کے دیکھتے ہی دیکھتے مٹھی گرم کرنا اور کروانا عام رواج ہو گیا۔ ہر شخص دولت کی دوڑ میں شریک ہو گیا۔ لیکن وہ تھا کہ اس دوڑ کے لئے تیار ہی نہ ہوا۔ اس دوران ترقی پا کر وہ اپنے شعبے کا انسپکٹر مقرر ہو گیا۔ وہ اسے اپنی، لگن، حوصلہ اور محنت کا ہی صلہ سمجھا۔ اگلے ہی دن اس نے

علاقے کے بازاروں میں تہلکہ مچادیا۔ مختلف دکانوں سے اشیائے خوردنی کے کوئی ایک سو نمونے حاصل کیئے اور کسی دکاندار کو روپیہ پیش کرنے کی جرأت نہ ہوسکی۔ شام ہوئی تو اس کے گھر آنے جانے والوں کا تانتا بندھ گیا۔ ہر آنے والا اپنے ساتھ کچھ نہ کچھ نذرانہ لے کر حاضر ہوا تھا۔ مگر اس نے ڈانٹ ڈپٹ کر سب کو بھگا دیا۔ حالانکہ وہ چاہتا تو یہ سپلائی ہمیشہ برقرار رہ سکتی تھی۔ رفتہ رفتہ وہ ایک خوف بن گیا۔ حلوائی اس کی آمد کی اطلاع پاتے ہی مٹھائیاں ٹھکانے لگانے لگتے۔ گوالے خطرے کی بو پاتے ہی دودھ ملا پانی نالیوں میں بہا دیتے۔ قصاب غلیظ و بیمار گوشت کتوں کے حوالے کر دیتے اور پرچون فروش دکانیں بند کر دیتے۔ چند ہی دنوں میں سماج دشمن عناصر کی دکانیں بند ہوگئیں۔ جن لوگوں کے پاس ملاوٹ والی اشیاء کے ذخائر موجود تھے۔ انہوں نے کاروبار بند کر کے ذخائر منتقل کرنے شروع کر دیئے۔ آٹے کی ملوں سے سوکھے ہوئے ٹکڑوں اور چھان بورے کے ڈھیر ناپید ہوتے چلے گئے اور عوام نے سکھ کا سانس لیا۔ البتہ اس کا ماتحت عملہ اس صورت حال سے خاصا پریشان نظر آنے لگا۔ ان کی لگی بندھی روزی بند ہوگئی تھی۔

ارشد کے پڑوس میں ایک تھوک فروش تاجر رہتا تھا۔ جو آٹا، میدہ پسا ہوا نمک اور مرچیں دکانداروں کو سپلائی کرتا تھا۔ شیخ جی اس خیال سے کہ انسپکٹر کا پڑوسی ہے انہیں کوئی گزند نہ پہنچے گی مطمئن رہے لیکن ایک دن چھاپہ مار پارٹی نے ان کے ہاں سے آٹے اور میدے کے نمونے لے لئے۔ وہ تو بھلا ہو کہ مرچیں اس دن تک نہیں آئی تھیں ورنہ ان کا سیمپل بھی بھر لیا جاتا۔ دراصل مرچوں کے آنے میں کچھ دیر ہوگئی تھی۔ شیخ جی بہت گھبرائے ہوئے تھے۔ انہوں نے اپنا آدمی بھیج کر ڈیلر سے کہہ دیا کہ مرچیں جب بھی بھیجی جائیں رات کے وقت ان کے مکان پر بھیجی جائیں۔ چنانچہ ایسا ہی ہوا اور مرچیں شیخ جی کے گھر ذخیرہ کر دی گئیں۔ لیکن جونہی یہ مرچیں بازار میں پہنچیں صارفین میں اضطراب کی لہر دوڑ گئی کیونکہ ان میں لکڑی کا رنگین برادہ زیادہ اور مرچیں کم تھی۔ پکڑے جانے کے ڈر سے دکاندار بھی سخت گھبرائے ہوئے تھے اس لئے بات چھپ نہ سکی اور ارشد کو ایک دکاندار کے ذریعے معلوم ہوگیا کہ یہ ناقص مرچیں شیخ ہی سپلائی کرتا ہے اور ذخیرہ ایجنسی کے بجائے گھر پر رکھتا ہے۔

''ایسا کام اور میرے پڑوس میں..... کبھی نہیں ہوسکتا۔'' اسے بہت غصہ

آیا۔

پھر اسی رات شیخ کے گھر چھاپہ پڑا۔ تمام تھیلے برآمد کر لئے گئے اور شیخ جی بری طرح پھنس گئے اس نے بہت کوشش کی کہ مرچوں کا نمونہ تجزیہ کے لئے نہ بھیجا جائے مگر بے سود۔ شیخ کو پانچ ہزار روپے جرمانہ ہوا۔ تقریباً اتنا ہی جرمانہ اسے پہلے بھی ہو چکا تھا۔ نتیجہ یہ ہوا کہ بول چال، سلام دعا تک بند ہوگئی بلکہ نوبت نوک جھونک تک آ پہنچی۔

لیکن ایک دن ارشد کو اپنی دیانتداری کا مزا چکھنا پڑا۔ اس نے ایک ایسی ایجنسی پر چھاپہ مارا جس کے متعلق مشہور تھا کہ اس کا مالک بااثر آدمی ہے اور اس پر کبھی چھاپہ نہیں پڑا۔ ارشد کو بھی یہ بات کھٹکتی تھی کہ ہر دفعہ ایجنسی کسی نہ کسی طرح بچ جاتی ہے۔ چنانچہ چھاپہ مارا گیا۔ اس کا مالک اکڑ گیا بلکہ خم ٹھونک کر سامنے آ گیا اور اس نے سرکاری ملازموں سے کہہ دیا کہ اگر کوئی اس کی دکان میں داخل ہوا تو اچھا نہ ہوگا۔ اس پر پولیس طلب کر لی گئی۔ ایک تھانیدار دو کانسٹیبلوں کی معیت میں وہاں پہنچا۔ اور اشیائے خوردنی کے نمونے پولیس کی نگرانی میں زبردستی حاصل کر لئے گئے۔ دکاندار کو کیس کی نقل اور حاصل کی گئی اشیاء کی قیمت دی گئی مگر وہ سب کچھ چھوڑ چھاڑ کر جلدی جلدی دکان بند کر کے غصے میں غراتا اور دھمکیاں دیتا ہوا چلا گیا۔ اس کے یہ الفاظ ''جن کی دکان ہے۔ وہ خود نمٹ لیں گے اب اپنی خیر منانا۔'' ارشد کے کانوں میں گونج رہے تھے۔ اور پھر ان الفاظ کی حقیقت بھی سامنے آ گئی۔ وہ شخص جس آڑھتی سے سامان لاتا تھا۔ وہ ایک جج کا بھائی تھا۔ جج اسی شہر میں تعینات تھا۔ دکاندار نے تمام ماجرا آڑھتی سے اور اس نے اپنے بھائی سے کہہ سنایا۔ انصاف کی کرسی بھی ذاتی غرض اور لالچ کے سامنے ڈانواں ڈول ہوگئی۔ جج نے اپنے بھائی کو بہت کچھ سمجھا بجھا دیا اور ان نے بات دکاندار تک پہنچا دی۔ دکاندار نے الزام لگایا کہ ارشد نے اس کی دکان میں زبردستی داخل ہو کر خوراک کی متعدد بوریاں خراب کر دی ہیں۔ اسے سخت زدوکوب کیا ہے اور جاتے جاتے اس کی تجوری میں سے روپے اُڑا لئے ہیں۔ چنانچہ شہر کے بڑے تھانے میں اس امر کی رپٹ درج کرا دی گئی۔ ادھر جج صاحب کا ٹیلیفون بھی تھانے پہنچ گیا اور پولیس اس کی گرفتاری کے لئے دفتر پہنچ گئی۔ لیکن اس کے صاحب آڑے آ گئے اور پولیس کو خالی

سے منع کر دیا گیا کہ ان کی اجازت کے بغیر ان کے کسی ماتحت کو کچھ نہ کہا جائے۔ ارشد نے جوش سے مٹھیاں بھینچ لیں۔ ''صاحب'' کی باتوں سے اس کا حوصلہ بہت بلند ہو گیا تھا۔ چھٹی ہونے والی تھی۔ اس نے فائلیں بند کیں اور صاحب کے کمرے کی طرف چلا۔ جاتے جاتے اس کی نظر کھڑکی میں سے ہوتی ہوئی سورج پر جاٹکی۔ بادل کے چھوٹے چھوٹے ٹکرے اکٹھے ہو کر گھٹا کی شکل اختیار کر رہے تھے۔ چھٹی ہوئی اور وہ خوش خوش گھر کو چلا۔ بے چارے کو کیا معلوم تھا کہ پولیس وہاں پہلے ہی پہنچ چکی ہے۔ اور محلے میں اس کا انتظار کر رہی ہے۔ اسے گرفتار کر کے حوالات میں بند کر دیا گیا۔ سیاہ تاریک بادل سورج کو پوری طرح ڈھانپ چکا تھا اور اب پھر برس رہا تھا۔

''بادل برس گیا تو مطلع صاف ہو جائے گا۔ یہ تو جاتی ہوئی برسات کے آخری چھینٹے ہیں۔'' پہرے کے سپاہیوں میں سے ایک بولا۔

''یہ آخری چھینٹے ہیں! پھر کیا ہوگا؟ دھوپ نکلے گی؟ دھوپ کب نکلے گی؟ سورج کب طلوع ہوگا؟ کب تک بادل یونہی سورج کو گہناتے رہیں گے؟'' وہ بڑبڑاتے ہوئے چلانے لگا۔

''صبر کر بھائی ابھی تو پہلا دن ہے۔ جج صاحب نے تین دن کا کہا ہے۔'' پہریدار سپاہی نہایت شیطانی ہنسی ہنستے ہوئے بولا۔

''تین دن؟'' وہ بے ہوش ہو کر گر پڑا۔

جب اُٹھا تو سورج کی کرنیں سلاخوں میں سے چھن چھن کر اس پر پڑ رہی تھیں۔

''سورج نکل آیا!'' وہ ہڑبڑا کر اُٹھ کر بیٹھا اور پھر پاگلوں کی طرح آسمان کی طرف دیکھنے لگا۔ جہاں بادل کا کوئی کوئی ٹکڑا اب بھی موجود تھا۔ اس کی گرفتاری کی خبر دفتر پہنچی تو صاحب کو بڑا رنج ہوا۔ انہوں نے فوراً جج کو ٹیلیفون کیا۔ مگر جج کا پہلا جملہ ہی ان پر بجلی بن کر گرا۔

آپ خود بھی افسر ہیں۔ اگر افسر لوگ افسروں کی بات کو آنر نہیں کریں گے تو کون کرے گا۔ آپ پہلے ہی مان جاتے تو اور بات تھی۔ اب تو وہ تین دن جیل میں رہے گا۔''

''تین دن'' انہوں نے ٹیلیفون پٹخ دیا۔ کچھ دیر سوچنے کے بعد پھر فون اُٹھایا ڈی ایس پی سے بات کی لیکن وہ بھی ٹال گیا۔ البتہ اس نے کہا کہ وہ اتنا کر سکتا ہے کہ ملزم کو عدالت میں پیش کرا دے۔ علاقہ مجسٹریٹ ''صاحب'' کا ہم جماعت رہ چکا

تھا۔ صاحب نے اس سے رابطہ قائم کیا۔ تو اس نے مشورہ دیا کہ ملزم کو چپ چاپ عدالت میں پیش کر دیا جائے۔ وہ ضمانت کر دے گا اسی اثناء میں ڈی ایس پی کا ٹیلیفون تھانے پہنچ چکا تھا۔ تھوڑی دیر میں پولیس ملزم کو لے کر عدالت پہنچ گئی۔ دفتر کے بہت سے لوگ وہاں موجود تھے۔ لیکن صاحب جنہیں ضمانت دینا تھی۔ ابھی تک نہیں پہنچے تھے۔ جس سے سب کو تشویش لاحق تھی۔ ادھر ارشد کو آواز پڑ گئی اور سب لوگ کمرہ عدالت میں پیش ہو گئے۔ اتفاق سے شیخ جی کسی کام سے عدالت آئے ہوئے تھے۔ ارشد، اس کی بیوی اور دیگر رشتے داروں نے انہیں دیکھا تھا۔ ان کی آنکھیں چار بھی ہوئی تھیں۔ وہ بھی کارروائی سننے کے شوق میں کمرہ عدالت میں داخل ہو گئے۔ مجسٹریٹ نے کیس کی سماعت کی اور فیصلہ دیا کہ کیس قابل ضمانت ہے۔ لہٰذا کوئی شخص ارشد کی ضمانت دے۔ صاحب ابھی تک نہیں پہنچے تھے۔ مگر پیشتر اس کے کہ صاحب کو اس امر سے آگاہ کیا جاتا شیخ جی نے شور مچا کر کمرہ سر پر اُٹھا لیا۔

''جناب عالی میرے ہوتے ہوئے ارشد بابو کو کسی اور ضمانتی کی کوئی ضرورت نہیں۔ اس کی ضمانت میں دیتا ہوں۔ لاکھوں کا مالک ہوں، بڑا تاجر ہوں.... سب لوگ حیران رہ گئے۔ ارشد کی بیوی بچوں کے منہ کھلے کے کھلے رہ گئے۔ ارشد نے نظریں اُٹھا کر شیخ جی کی طرف دیکھا اور پھر شرم کے مارے سر جھکا لیا۔

''ٹھیک ہے۔ شیخ مختار احمد کی ضمانت قبول کی جاتی ہے۔ ملزم کو رہا کر دیا جائے۔'' عدالت نے فیصلہ سنا دیا۔

ارشد شیخ سے بغل گیر ہو گیا اور پرانے گلے شکوے دور کیے۔ اسی دوران صاحب بھی وہاں پہنچ گئے۔ انہیں معلوم ہوا تو انہوں نے بھی شیخ جی کا شکریہ ادا کیا اور ان کی تعریف کی۔ رہائی کے بعد شیخ جی دفتر آئے۔ جو شخص ارشد کو مبارکباد دیتا ارشد اس کا شکریہ ادا کرتا ساتھ کہتا شیخ جی کو مبارکباد دیجیے انہوں نے میری بڑی مدد کی ہے۔'' اور لوگ شیخ جی کو بھی مبارکباد دیتے۔ شیخ تھوڑی دیر تک وہاں بیٹھا رہا۔ پھر اس نے اجازت چاہی تو ارشد اُٹھ کر کھڑا ہو گیا اور اس نے شیخ کی مہربانی اور خلوص کا پھر شکریہ ادا کیا۔

''ہماری کوئی شفقت اور مہربانی نہیں ہے۔ بھیا۔ ہم نے تو اپنا فرض ادا کیا ہے۔ بس یہ ہے کہ اب تم بھی ہمارا خیال رکھا کرنا..... ہاں'' شیخ نے جلدی جلدی بولتے ہوئے کہا۔

''ہاں ہاں شیخ جی کیوں نہیں'' وہ یونہی کہہ گیا۔

شیخ کے جانے کے بعد وہ شیخ کے بارے میں سوچنے لگا کہ آخر اس نے ایسا کیوں کیا۔ اور وہ اس سے کیا چاہتا ہے۔ یکا یک شیخ کے الفاظ اس کے ذہن پر ہتھوڑے برسانے لگے۔ ''اب تم بھی ہمارا خیال رکھا کرنا۔''

''اور میں نے اقرار کر لیا!'' اسے اپنی غلطی کا احساس ہوا۔ وہ پریشان ہو گیا۔

''نہیں نہیں میں ایسا نہیں کر سکتا۔ مجھے جیل جانا منظور ہے مگر شیخ کو ملاوٹ والی اشیاء نہیں بیچنے دوں گا۔''

اس کے ساتھ ہی اسے جیل کی کال کوٹھری کا خیال آیا اور دوسرے رخ پر سوچنے لگا۔

''اگر شیخ جیسے ایک آدھ شخص کو چھوڑ بھی دوں تو کیا فرق پڑ جائے گا؟''

دوسرے ہی لمحے اس کی نظر قائداعظم کی تصویر پر پڑی اور اس پر جنون سوار ہو گیا۔

''میں ایسا نہیں کر سکتا۔ میں شیخ کو ابھی جواب دوں گا۔'' وہ باہر کو لپکا مگر شیخ جا چکا تھا۔ اس کی نظریں خود بخود آسمان کی طرف اُٹھ گئیں۔ جہاں بادلوں کے سیاہ ٹکڑے پھر سورج کی طرف بڑھ رہے تھے۔

آتش فشاں

اچانک گڑگڑاہٹ اور پھر زمین ہلنے کے باعث جہاں خمیسو خان کی بانسری کی مدھر لے ٹوٹ گئی وہاں ارباب خان کے زوردار خراٹے بھی جاری نہ رہ سکے۔ وہ ہڑبڑا کر اُٹھ بیٹھا اور حیرانی سے خمیسو خان کی طرف دیکھنے لگا جو پہلے ہی حیرانی اور خوف کے ملے جلے جذبات کے زیر اثر خاموش بیٹھا اِدھر اُدھر دیکھ رہا تھا۔

کیا ہوا؟ وہ بولا۔

''زلزلہ آرہا ہے یار.....شاید آتش فشاں پھٹ گیا ہے'' خمیسو بولا۔

''آتش فشاں پھٹ گیا......نہیں یار.....اللہ رحم کرے''۔

''ہاں ہاں سنو تو سہی کیسی کیسی آوازیں سنائی دے رہی ہیں۔ زمین بھی ہل رہی ہے''۔

''زمین بھی ہل رہی ہے؟'' ارباب خان نے سادگی سے پوچھا۔اس پر نیند کا اثر شاید ابھی تک غالب تھا۔

خمیسو ابھی کوئی جواب بھی نہ دے پایا تھا کہ ایک بار پھر گڑگڑاہٹ کی آواز سنائی دی۔ ساتھ ہی زمین زور سے ہلی۔ اس پر ارباب خان اُچھل کر کھڑا ہو گیا اور خمیسو کی طرف دیکھتے ہوئے بولا ''واقعی یار ...تم ٹھیک ہی کہتے ہو.....آؤ باہر چلے جائیں ۔چھت کے نیچے پڑے رہنا خطرناک ہے''۔

وہ دونوں جلدی سے اپنے اوطاق سے باہر نکل آئے۔اور یہاں سے چند قدم دور ایک خشک برساتی نہر کے اونچے کنارے پر جا کر بیٹھ گئے۔رات کے اندھیرے کے باعث ہاتھ کو ہاتھ سجھائی نہ دیتا تھا۔البتہ نہر سے کچھ دور واقع ،کلّی کے مکانوں میں کہیں کہیں اب بھی روشنیاں نظر آ رہی تھیں۔

''یار یہ تو بڑا خطرناک علاقہ ہے۔ ہر وقت زلزلے آتے ہی رہتے ہیں۔کبھی چھوٹے کبھی

بڑے‘‘۔ خمیسو خان نے اپنی بانسری اپنے کرتے کی لمبی جیب میں ڈالتے ہوئے کہا۔

’’یہاں آتش فشاں جو ہیں‘‘ ارباب خان بولا۔

’’لیکن سنا ہے یہاں زمین کے نیچے بہت سی قیمتی دھاتیں بھی ہیں جن میں سونا‘ چاندی‘ ہیرے‘ قیمتی پتھر.........‘‘۔

’’ہاں لوہا‘ کوئلہ‘ گندھک‘ نمک......تم اچھی اچھی خوبصورت چیزوں کے نام تو لیتے ہو ایسی چیزوں کا بھی تو ذکر کرونا‘‘۔ ارباب خمیسو کی بات کاٹتا ہوا بولا اور خمیسو مسکرا دیا پھر کہنے لگا

’’چلو یہ بھی سہی.... یہ بھی تو کام کی چیزیں ہیں نا‘‘۔

’’ہاں.....اگر ہمارے کام آجائیں تب نا.....ہم تک تو ان کا فائدہ پہنچتا ہی نہیں‘‘

’’کہتے ہیں کہ ادھر تیل بھی ہے‘‘ خمیسو ارباب کی بات کو نظر انداز کرتے ہوئے کہنے لگا

’’ہاں نا!......تیل تو ہے مگر کوئی نکالے بھی‘‘ ارباب نے جواب دیا۔

’’یار سنا ہے انگریزوں کے زمانے میں بھی یہاں سے تیل نکلا تھا‘‘ خمیسو شاید بات ختم کرنے کے موڈ میں نہیں تھا۔

’’ہاں یار نکلا تو تھا۔ تیل یہاں ہمیشہ سے موجود تھا اور موجود ہے۔ مگر کوئی اسے نکالنا نہیں چاہتا۔ کیونکہ اگر عوام کو احساس ہو گیا کہ ان کے پاس کچھ ہے اور کتنی مقدار میں ہے تو پھر وہ وڈیروں اور سرداروں کے ہاتھ سے تو نکل جائیں گے‘‘۔

’’مگر وہ انگریزوں والے تیل .....‘‘ خمیسو نہ جانے کیوں آج تیل میں زیادہ دلچسپی لے رہا تھا۔ حالانکہ بات زلزلے اور آتش فشاں سے شروع ہوئی تھی۔

’’یار خمیسو تو نے پتہ نہیں کیا لینا ہے اس بات سے‘‘ ارباب خان بیزار ہو کر بولا۔

’’بھئی انگریزوں نے تیل نکالا تھا اپنے لئے۔ کیونکہ انہیں جنگ میں تیل کی ضرورت تھی۔ جنگ ختم ہو گئی ضرورت ختم ہو گئی۔ بس چشمہ بند........‘‘۔

’’کیوں‘‘

’’بھلا انہیں کیا ضرورت پڑی ہے ہمارے فائدے کی بات سوچنے کی‘‘۔

"تو ہمارا سردار سوچے نا" خمیسو ایسے ضد کر رہا تھا جیسے اپنی بات ارباب سے منوا رہا ہو۔

"بھائی سردار بھی اپنا فائدہ سوچتا ہے۔ تجھے پتا ہے بڑا سردار ساری عمر یہی کہتا رہا کہ یہاں تیل تو ہے مگر نکالنا مشکل ہے کیونکہ لاوا بہہ نکلنے کا خطرہ ہے۔ پھر جب بڑا سردار مرا اور موجودہ سردار ولائت سے آیا تو اُس نے بھی کہا کہ تیل ہے اور نکالا جائے گا مگر چار دن سرداری کے مزے لوٹنے کے بعد اسے بھی لاوے کا خطرہ نظر آنے لگا" ارباب جل کر بولا۔

"مگر یار ارباب.....تیل نکل آئے تو فائدہ سب کا ہی ہو گا نا.....چلو سردار کو ذرا زیادہ فائدہ سہی...میرا خیال ہے تیل یہاں ہو گا ہی نہیں اگر ہوتا تو کوئی نہ کوئی نکال لیتا.....یا خود ہی نکل آتا....."۔

"خود کیسے نکل آتا.....یہ بھی کوئی لاوا ہے جو پہاڑ پھاڑ کر نکل آئے گا.....چل چھوڑ باتوں کو آ اندر چل کر سوتے ہیں ختم ہو گیا زلزلہ"۔

ارباب خان یہ کہ کر اٹھ کھڑا ہوا اور اوطاق کی طرف چل پڑا۔ خمیسو بھی پیچھے پیچھے ہو لیا۔ لیکن ابھی وہ دونوں نہر کے ڈھلوان کنارے سے نیچے بھی نہیں اترے تھے کہ ایک بار پھر گڑ گڑاہٹ کی آواز کے ساتھ زوردار جھٹکے محسوس ہوئے اور وہ دونوں وہیں رک گئے۔ اگلے ہی لمحے دوبارہ گڑ گڑاہٹ سنائی دی ساتھ ہی ایسی آواز آئی جیسے کوئی سیال مادہ بہت بڑی مقدار میں بہہ نکلا ہو۔

"یار خمیسو......تو نے کچھ سنا"۔

"نہیں تو"۔

"لگتا ہے آتش فشاں پھٹ گیا......لاوا بہنے کی آواز آ رہی ہے" ارباب خان ادھر اُدھر دیکھتا ہوا بولا۔

"اچھا" خمیسو نے حیرانی سے کہا۔

"ہاں........اور دیکھ بو بھی آ رہی ہے"۔

"ہاں بو تو محسوس ہو رہی ہے عجیب سی" خمیسو زور زور سے سونگھتے ہوئے کہنے لگا۔

ارباب خان کچھ کہے بغیر خشک نہر کے اونچے کنارے پر دوبارہ چڑھنے لگا۔ خمیسو بھی اس کے پیچھے

چل پڑا۔

''مگر یار ارباب اگر آتش فشاں پھٹے تو آگ اور دھواں دکھائی دیتے ہیں۔ اور پتھروں وغیرہ کی بارش دور تک ہوتی ہے یہاں تو کچھ بھی دکھائی نہیں رہا''۔

''یار کیا رات کے اندھیرے میں دکھائی دے۔ رہی آگ کی بات تو ہو سکتا ہے پہاڑ کے اندر کہیں ہو'' ارباب نے بگڑ کر جواب دیا۔

''یار کہتے ہیں اب سے چند سال پہلے جب سو کوس والا آتش فشاں پھٹا تھا تو لاوے کے ساتھ ساتھ کئی میل کنکریوں اور سیاہ مٹی کی بارش ہوئی تھی''۔

ارباب ابھی کچھ جواب بھی نہ دے پایا تھا کہ گڑگڑاہٹ کے ساتھ ایک بار پھر کسی سیال چیز کے بڑی مقدار میں بہنے کی دبی دبی آواز سنائی دی جسے اس بار خمیسو نے بھی واضح طور محسوس کیا۔

''خمیسو خانا.... یار حیرت ہے مسلسل جھٹکے لگ رہے ہیں۔ لاوا بہنے کی آواز ہمیں اتنی دور سنائی دے رہی ہے اور یہ سارا گاؤں چپ چاپ مزے سے سو رہا ہے''۔

''واقعی یار.... مگر ہو سکتا ہے لوگ جاگ رہے ہوں۔ اب ہمیں نظر تو نہیں آئیں گے نا''۔

''جاگ رہے ہوں تو انہیں لاوے کے بہنے کا پتہ بھی تو چلنا چاہئے۔ اگر گرم مادے کا یہ دریا گاؤں میں داخل ہو گیا تو سب لوگ کباب بن جائیں گے''۔ ارباب خان نے تشویش سے کہا اور خمیسو نے زوردار طریقے سے سر ہلا کر اس سے اتفاق کیا۔

''خمیسو خانا..... ہو سکتا ہے، کلّی والوں کو پتہ نہ چلا ہو۔ کیوں کہ سردی کی وجہ سے سب لوگ گھروں کے اندر دبکے پڑے ہونگے۔ یہ بھی ہو سکتا ہے کہ وہ اسے صرف زلزلہ سمجھ رہے ہوں''۔

''پھر کیا کرنا چاہئے''۔ خمیسو کو کچھ نہیں سوجھ رہا تھا۔ اور وہ سوالیہ نشان بنا ارباب کی طرف دیکھ رہا تھا۔

''یار، کلّی کے لوگوں کو خبردار کرنا چاہئے۔ بے شک جاگ ہی رہے ہوں''۔

''چلو آوازیں دے کر انہیں خواب سے جگاتے ہیں''۔ ارباب نے یہ کہتے ہوئے گاؤں کی طرف منہ کر لیا اور زور زور سے آوازیں لگانے لگا۔

''کلّی والو......اُٹھ جاؤ......آتش فشاں پھٹ گیا ہے''۔

پھر خمیسو نے آواز لگائی۔

''اُٹھ جاؤ بھائیو۔ گھروں سے نکل آؤ۔ لاوا بہہ رہا ہے''۔

''بھئی لاوا ہے لاوا.....جلدی سے نہر پر آجاؤ''۔

''جلدی نکلو......نہر پر آجاؤ''۔

کچھ دیر آوازیں لگانے کے بعد دونوں نہر کے پر اکڑوں بیٹھ گئے اور گاؤں کی طرف دیکھنے لگے۔ جلد ہی گاؤں کے مکانوں کے دروازے کھلنے لگیاور لوگ لالٹینیں لئے باہر نکلنے لگے۔ اچھا خاصا شور مچ گیا۔ مگر اس شور کے پس منظر میں بھی زیر زمین دھماکوں اور گڑگڑاہٹ کی آواز کیساتھ سیال مادے کے بہنے کی آواز سنائی دے رہی تھی۔ اور فضا میں بوسی پھیل گئی تھی جسے اب آسانی سے محسوس کیا جا سکتا تھا۔

''یار خمیسو.....یہ بو سونگھی ہے''۔ ارباب نے بڑے خیال انگیز طریقے سے کہا۔

''یہ بُو لاوے کی نہیں''۔

''تو کیا تیل کی ہے'' خمیسو نے طنزاً کہا۔

''ہاں.....تیل کیا ہے'' ارباب نے ایک لمحہ توقف سے جواب دیا۔

''چھوڑ یار.......مذاق نہ کر''۔

اتنے میں ہوا کا زوردار جھونکا اپنے ساتھ پھر بُو کا احساس لے کر آیا۔

''دیکھا خمیسو یہ بُو تیل کی ہے.......مجھے یقین ہے کہ پہاڑ میں پھٹ کر اُبلنے والا مادہ لاوا نہیں تیل ہے''۔ ارباب نے پُر اعتماد لہجے میں کہا۔

مگر خمیسو چُپ رہا اور گاؤں سے نکل کر آنے والے لوگوں کو دیکھتا رہا جو لمحہ بہ لمحہ قریب آتے جا رہے تھے۔ تھوڑی دیر بعد ہجوم کا ہراول دستہ جس کی قیادت سفید داڑھی والا بوڑھا ہزار خان کر رہا تھا ان تک پہنچ گیا۔ اور سب لوگ ان دونوں کی عقلمندی اور فرض شناسی کی تعریف کرنے لگے۔

''تمہیں پتہ کیسے چلا یار کہ لاوا بہہ رہا ہے'' بُڈھا ہزار خان تعریف کے انداز میں بولا اور

خمیسو خان فوراً واقعہ بیان کرنے لگ گیا۔

''پہلے میں نے گڑگڑاہٹ اور دھماکوں کی آواز سنی۔ پھر ارباب نے۔ پھر زمین ہلنے لگی۔ ہم دونوں باہر آ گئے۔ پھر دھماکوں اور گڑگڑاہٹ کی آواز کے ساتھ لاوا بہنے کی آواز آئی، ساتھ ہی بُو بھی آئی تو ہم سمجھ گئے کہ آتش فشاں پھٹ گیا ہے اور لاوا بہہ نکلا ہے''.....

''لاوا نہیں تیل'' ارباب نے بات کاٹتے ہوئے کہا۔

''کیا.........کیا؟'' ہجوم میں سے کچھ آوزیں آئیں۔

''ہاں ہاں تیل ہے۔ لاوا نہیں ہے۔ دیکھو تیل کی بُو آ رہی ہے''۔ ارباب خان نے بڑے زور شور سے کہا۔

''مگر یہاں تیل نہیں ہے۔ سردار کہتا ہے کہ یہ لاوا ہے'' بڈھا ہزار خان بحث کے انداز میں بولا۔

''سردار غلط کہتا ہے...... یہ تیل ہے۔ یہاں پہلے بھی تیل نکلا تھا'' ارباب نے بڑی جرات سے کہا۔

''کون کہتا ہے کہ یہاں تیل نکلا تھا''۔ ہجوم ئیں سے کسی نے کہا۔

''میں کہتا ہوں..... میرا چچا امیر خان کہتا تھا'' ارباب کی اس بات پر کچھ لوگ ہنس دیئے۔ ابھی یہ باتیں ہو رہی تھیں کہ پھر گڑگڑاہٹ کی آواز سنائی دی اور زمین ہلنے لگی۔ ساتھ ہی کسی سیال چیز کے بہنے کی آواز آئی اور ہوا کے جھونکوں میں عجیب سی بُو کا احساس بھی ہونے لگا۔ اس دفعہ آواز ایک دوسری سمت سے آئی تھی جو ذرا قریب تھی۔ اور ارباب چلا اٹھا۔

''یہ دیکھو... بُو سونگھو یہ بُو تیل کی ہے...... یہ تیل ہے''۔

''میرے یار لاوا ہے۔ پاگل مت بنو۔ دیکھو گرمی بھی محسوس ہو رہی ہے''۔ بڈھے ہزار خان نے کہا۔

''خدا کی قسم یہ تیل ہے لاوا نہیں..... لو میں ابھی لے کر آیا''۔ یہ کہتے ہی ارباب خان دوڑ پڑا اور لوگ اسے روکتے رہ گئے۔

ارباب کے جانے کے بعد حیرت زدہ لوگ آپس میں بات چیت کرنے لگے کہ ارباب اچھا اور معقول شخص تھا مگر آج یہ نہ جانے اسے کیا ہوا۔

''یہ اچانک ہی اسے کچھ ہو گیا ورنہ اسی نے تو سب پہلے آواز لگا کر آپ لوگوں کو خبردار کیا تھا'' خمیسو نے حیرت سے کہا۔

''شاید اس کا دماغ چل گیا......'' بڈھا ہزار خان بولا۔

''میرا خیال ہے کہ لاوے کی بُو یا کسی اور گیس کا اثر ہے''۔

لوگ ابھی اسی مخمصے میں گرفتار تھے کہ یہ ڈراما کیا تھا کہ دور اندھیرے میں کوئی شخص دوڑ کر آتا دکھائی دیا۔ یہ ارباب خان تھا۔

اس نے اپنے دونوں ہاتھوں میں بھیگی ہوئی ریت تھام رکھی تھی اور سیال مادے کے موٹے موٹے قطرے اس کے ہاتھوں کی انگلیوں کے درمیان سے نیچے ٹپک رہے تھے۔

''یہ لو دیکھ لو......یہ تیل ہے.....کون کہتا ہے کہ یہ لاوا ہے'' ارباب آتے ہی پھٹ پڑا۔ اس کی سانس پھولی ہوئی تھی۔

حیرت زدہ مجمع اس کے قریب آ گیا اور پھر سب نے باری باری اس کے ہاتھوں میں تھامی ہوئی ریت کا معائنہ کیا۔

''یہ تو واقعی تیل ہے'' ایک نوجوان بولا۔

''ارباب سچ کہتا ہے۔ یہ تیل ہے۔ سردار جھوٹ بولتا ہے'' بڈھے ہزار خان نے گویا فیصلہ سنا دیا۔

''یہ بات سردار کو بتانی چاہئے'' مجمع میں سے ایک شخص نے تجویز دی۔

''ہاں بلکہ ابھی بتانی چاہئے۔ تازہ تازہ.....آؤ سردار کی کوٹھی چلتے ہیں، سب لوگ میرے ساتھ چلو'' ہزار خان نے جوش میں آ کر کہا۔

ہزار خان، ارباب خان، اور خمیسو خان آگے آگے چل پڑے۔ باقی تمام لوگ ان کے پیچھے پیچھے چلے اور یہ جلوس تیل ہے ...تیل ہے کے نعرے لگاتا سردار کی کوٹھی پر جا پہنچا۔ اور سوئے

ہوئے سردار کو جاگنا پڑا۔

''اگر تیل ہے تو تیل نکالا جائے گا''۔ سردار نے مشتعل ہجوم پر ایک نظر دوڑاتے ہوئے کہا۔

''میں صبح ہی اپنے بندے کام پر لگا دوں گا اور ارباب خان کو اس کی ہمت اور دلیری پر انعام ملے گا''۔

مگر اگلی صبح کے سورج نے دیکھا کہ پہاڑ سے نکلنے والے چشمے پر سردار کی ملیشیا پہرہ دے رہی تھی اور سینکڑوں جوان چپ چاپ پتھروں سے چشمے کا دہانہ بند کر رہے تھے۔ قریب ہی ارباب خان بیڑیوں میں جکڑا ایک بھاری تنے کے نیچے دبا درد سے کراہ رہا تھا۔ سردار نے پھر تیل کو لاوا قرار دے دیا تھا۔

ڈوبتی آنکھوں کا نور

سورج طلوع ہوا تو ایسے لگا جیسے تمام رات سمندر کی اتھاہ گہرائیوں میں ڈوبا رہنے کی بعد دوبارہ ابھر رہا ہو۔ اس کے ساتھ ہی خلیج بنگال کی پر سکون لہروں پر سرخ رنگ پھیلتا چلا گیا۔ حتی کہ پورے کا پورا سمندر پانی کی بجائے خون کا سمندر دکھائی دینے لگا۔ فضا میں ابھی دھند اور کہر کی حکمرانی تھی جس کے باعث دور کا منظر صاف دکھائی نہ دیتا تھا۔ وسیع و عریض سمندر کے سینے پر تیرتی ہوئی گن بوٹ کا کپتان ابھی نیند کے بوجھ تلے دبا اونگھ رہا تھا لیکن کارپول رام پرشاد کی آنکھیں چمک رہی تھیں اسے کپتان کا اونگھنا قطعاً گوارا نہیں تھا لیکن وہ اسے جگانے میں ہچکچاہٹ محسوس کر رہا تھا حالانکہ ایسا کرنا ضروری تھا اسی اضطراب میں اس کی نظر گن بوٹ کی کھڑکی کے شیشے میں سے ہوتی ہوئی سورج پر جا کر مرکوز ہو گئی اور وہ چلا اٹھا

"صبح ہو گئی سر سورج نکل رہا ہے"

اونگھتا ہوا کپتان چونک کر اٹھ کھڑا ہوا پھر اپنے حواس قابو میں کرتا ہوا بولا

"کیا کہا سورج نکل رہا ہے"

"جی ہاں سر۔ سورج نکل رہا ہے وہ دیکھئے سامنے سرخ سرخ روشنی دکھائی دے رہی ہے" رام پرشاد نے جلدی سے جواب دیا۔ کپتان نے باہر دیکھنے کی کوشش کئے بغیر اپنے ہاتھ پروپیلر پر رکھ دیئے اور طنزیہ لہجے میں بولا

"دیکھ لینا رام پرشاد سورج ہی ہے یا کوئی اور بلا ہے جسے تم سورج سمجھ رہے ہو"

"نہیں سرکار" رام پرشاد نے جواب دیا" سورج ہے اگر مجھ پر وشواش نہیں تو خود دیکھ کر تسلی کر لیں"

"چلو تم پر ہی وشواس کر لیتے ہیں۔ تم بھی کیا یاد کرو گے"

"جے ہو سرکار کی" رام پرشاد نے دونوں ہاتھ جوڑ کر کہا۔

"کیا خیال ہے واپس لوٹا جائے؟ ہمیں سمندر میں آئے ہوئے پورے دس گھنٹے ہو گئے ہیں" کپتان نے گھڑی دیکھتے ہوئے کہا۔ رام پرشاد کی آنکھیں چمک اٹھیں۔

"بالکل سر ویسے بھی اب تلاش کا کوئی فائدہ نہیں سر۔ سورج کی تیز روشنی میں بھلا یہ ننھی سی سبز روشنی کیا نظر آئے گی"۔

"ننھی سی روشنی! ہاہاہا کیا کہہ رہے ہو رام پرشاد؟"۔ کپتان ہنسنے لگا

"رات بھر یہ روشنی ہمارے ساتھ آنکھ مچولی کھیلتی رہی۔ کبھی پورب کی طرف سے نظر آتی تو کبھی پچھم کی طرف سے، اتر کو جاتے تو دکھن کی سمت آگ لگی محسوس ہوتی، دکھن کی طرف پلٹتے تو یوں لگتا جیسے آگ اتر کو چلی گئی ہے سبز سبز کرنیں لہروں کے سینے پر سوار ہو کر یوں بلند ہوتی تھیں جیسے گندھک کے ڈھیر سے شعلے بلند ہو رہے ہوں رات بھر تمہاری سانس نہیں نکلی اور اب کہہ رہے ہو ننھی سی روشنی"۔

کپتان کی باتیں سن کر رام پرشاد کھسیانا ہو گیا اور کچھ سوچنے لگا کپتان نے بوٹ کا رخ واپسی کے لئے پھیرا پھر ڈیش بورڈ کھول کر سگریٹ کی ڈبیا نکالی اور سگریٹ سلگا کر ڈبیا رام پرشاد کی طرف بڑھا دی"

"یہ لو سگریٹ پیو"

رام پرشاد نے ایک سگریٹ نکال کر سلگائی اور ڈبیا کپتان کی طرف بڑھا دی کپتان سگریٹ کے لمبے لمبے کش لے کر دھوئیں کے مرغولے اڑانے لگا پھر یکا یک اس نے بوٹ کی رفتار بڑھا دی۔ گن بوٹ نے ایک دو ہچکیاں لیں اور ایک لمحے کے لئے یوں محسوس ہوا جیسے انجن بند ہو گیا ہو لیکن یکدم ایک جھٹکے کے ساتھ گن بوٹ پانی کی سطح پر تیزی سے پھسلنے لگی

"رات بھر کے سفر سے ہم تو کیا بیچاری گن بوٹ بھی تھک گئی ہے"۔ کپتان نے سکوت توڑا۔

"بالکل سرکار مگر یہ بھی دیکھ لیجئے کہ ایندھن بھی ہے"۔ رام پرشاد نے قدرے خوف سے کہا۔

"ایندھن تو بہت ہے ویسے اگر ایندھن ختم بھی ہو جائے تو گھبرانے کی کوئی بات نہیں۔ اب سمندر میں ہمیں کوئی خطرہ نہیں ہم مدد پہنچنے کا انتظار کر سکتے ہیں"

"لیکن سرکار اگر رات ہو گئی اور وہ روشنی پھر دکھائی دینے لگی تو"۔ رام پرشاد گھبرا کر بولا

"تو پھر ہم کیبن میں چھپ جائیں گے"۔ کپتان نے ہنستے ہوئے کہا اور رام پرشاد کو بھی مجبوراً" ہنسنا پڑا۔

"رام پرشاد" کپتان گویا ہوا۔ "میرا ایک دوست تھا انگلینڈ میں وہ کہا کرتا تھا کہ تم لوگ اندھیرے مندروں کے پجاری ہو اور روشنی سے ڈرتے ہو۔ میں اس بات پر اس سے بہت لڑا کرتا تھا مگر اب سوچتا ہوں کہ کہیں یہ بات درست تو نہیں"

"لیکن سر ہم روشنی سے تو نہیں ڈر رہے ہم تو یہ چنتا کریں ہیں کہ یہ روشنی کیا چیز ہے کہیں کوئی ایسی چیز نہ ہو جس سے ہمیں نقصان اٹھانا پڑے" رام پرشاد نے گویا اپنی مدافعت کی۔

"بہر حال کچھ بھی ہو یہ حقیقت ہے کہ ہم دونوں ہی نہیں پورا نیول بیس ہی اس روشنی سے گھبرایا ہوا ہے"

کپتان کی بات سن کر رام پرشاد چپ ہو گیا کپتان اٹھا اور سگریٹ نکال کر سلگانے لگا۔ سورج کی روشنی اب کافی دور تک پھیل چکی تھی کپتان نے دور بین نکالی اور سمندر کا جائزہ لینا شروع کر دیا پھر دور بین رام پرشاد کو دے کر بولا

"دیکھو وہ سامنے کونسا ساحل ہے"

رام پرشاد نے ایک لمحہ کے لئے دور بین آنکھوں سے لگائی پھر تیزی سے بولا

"کاکسنر بازار ہے سرکار۔ ہمارا ہیڈ کوارٹر اس کے قریب ہی تو ہے"

رام پرشاد نے دوبارہ دور بین آنکھوں سے لگالی اور ارد گرد کا نظارہ کرنے لگا۔ چند لمحوں بعد اس نے دور بین الگ رکھ دی اور بولا

"دیکھئے سرکار یہی کاکسنر بازار ہے جہاں سے ڈوبتے اور ابھرتے ہوئے سورج کا درشن کرنے کے لئے بیسیوں پاکستانی اور بدیشی روزانہ آیا کرتے تھے۔ کہتے ہیں شام کے وقت جب سورج دھیرے دھیرے بنگال کی کھاڑی میں ڈوبتا ہے تو بڑا شندر لگتا ہے بے چارے شورما اس شندر دھرتی کو چھوڑ کر ایسے بھاگے کہ پلٹ کر بھی نہ دیکھا"

کپتان کے ماتھے پر شکنیں نمودار ہوئیں پھر طنز آمیز لہجے میں بولا

"رام پرکاش اب تو بہت چہک رہے ہو رات تو کہہ رہے تھے سرکار یہ پاکستانی بہت لڑیا جاتی ہیں۔ انہوں نے ضرور کوئی نہ کوئی شرارت کی ہو گی کبھی کہتے تھے سر میں تو یہ جانوں ہوں کہ یہ امریکی بیڑا ہے جو پاکستان کے بھولے بھٹکے جہازوں کو راستہ دکھا رہا ہے"

"یہ تو میں اب بھی کہتا ہوں سر"۔ رام پرشاد نے کھسیانا سا ہو کر جواب دیا

"غلط کہتے ہو۔ امریکی بحری بیڑا تو بنگال کی کھاڑی تک آیا ہی نہیں بلکہ وہ ٹا نکن کھاڑی سے ہی واپس چلا گیا تھا رہے پاکستانی جہاز تو ان میں سے کوئی بچ کر نہیں نکل سکا کیونکہ سمندر میں ہر طرف بارودی سرنگیں بچھا کر ناکہ بندی کر دی گئی تھی"

"مگر سر یہ بھی تو ہو سکتا ہے کہ پاکستان نے ہماری سرنگیں تباہ کرنے کے لئے کوئی ایٹمی مادہ سمندر میں پھینکا ہو"

"اب اس کا کوئی فائدہ نہیں پاکستان کو ہتھیار ڈالے ہوئے آج ایک ہفتہ ہونے کو ہے ایسا کرنا ہوتا تو پاکستان بہت پہلے کر لیتا"

"کیا پتا سرکار کوئی نئی سازش ہو اور پاکستانی دوبارہ حملے کے متعلق سوچ رہے ہوں"۔ رام پرشاد اسی قنوطی انداز میں بولا اور کپتان ہنسنے لگا۔

"اب یہ بالکل ممکن نہیں تاہم میں تمہاری رائے نیول ہیڈ کوارٹر تک ضرور پہنچاؤں گا۔ اور اگر یہ رائے ٹھیک نکل آئی تو کارپورل رام کی جے جے کار ہو جائے گی پروموشن بھی ملے گی اور چکر بھی"

"اور کپتان کل دیپ کو بھی کچھ کم نہیں ملے گا" رام پرشاد نے خوشامدی لہجے میں کہا۔

"خیر یار اٹھو" کپتان نے رام پرشاد کے کندھے پر ہاتھ مار کر کہا "دیکھو تھرماس میں چائے گرم ہے تو لے آؤ رات بھر چائے تک پینے کا موقع نہیں ملا"

"رام پرشاد اٹھا گن بوٹ کی کھڑکی کے قریب پڑے ہوئے تھرماس کی جانب بڑھا اگلے ہی لمحے اس کے منہ سے چیخ نکل پڑی۔

"سرکار وہ دیکھئے وہی روشنی۔ سبز رنگ کی دو تیز کرنیں کتنی تیزی کے ساتھ سمندر سے بلند ہو رہی ہیں" کپتان کو جھرجھری سی آگئی اور لڑکھڑاتی ہوئی آواز میں

پوچھنے لگا۔

"کہاں ہے کس طرف کو؟"

"ادھر اپنے رائٹ کو دیکھیں سر وہ جزیرے کے قریب" رام پرشاد نے انتہائی گھبرا کر کہا:

"ہوں" کپتان کچھ سوچتے ہوئے بولا "اس روشنی کو سورج بھی ماند نہیں کر سکا۔ بلکہ سورج کی روشنی میں یہ نور اور زیادہ واضح اور نمایاں دکھائی دے رہا ہے اس کا سورس ضرور کوئی غیر معمولی چیز ہے جس کا سراغ لگانا بہت ضروری ہے" اتنا کہہ کر کپتان نے رام پرشاد کی طرف دیکھا جو خوف کے مارے تھرا رہا تھا

"رام پرشاد چلو دیکھیں یہ کیا چیز ہے ہو سکتا ہے رات بھر کی محنت کا پھل اب مل جائے" کپتان نے کہا

"لیکن سرکار؟"

"لیکن ویکن کچھ نہیں ہمیں نیول ہیڈ کوارٹر کو اس بارے میں ضرور اطلاع کرنی چاہئے تاکہ وہ کسی بھی غیر متوقع خطرے کے مقابلے کے لئے خود کو تیار رکھیں ہمیں اس روشنی کو ہمیشہ کے لئے مٹانا ہوگا اپنے لئے' اپنی جاتی کے لئے' بھارت ماتا کے لئے"

کپتان نے حاکمانہ انداز میں اپنا فیصلہ سنایا رام پرشاد کے پاس سوائے چپ رہنے کے اور کوئی چارہ نہ تھا کپتان نے بوٹ کا رخ روشنی کی سمت پھیر دیا اور گن بوٹ ایک مرتبہ پھر سفر پر روانہ ہو گئی۔ کپتان اور رام پرشاد دونوں چپ اور سنجیدہ تھے کہ کپتان نے پھر بات چیت کا سلسلہ شروع کیا۔

"ہم کس طرف جا رہے ہیں رام؟"

"سر اس طرف برما کی سیما ہے اکیاب کا گھاٹ اسی طرف ہے سرکار"

رام پرشاد نے سہمے ہوئے جواب دیا۔

یہ سب تمہیں کیسے معلوم ہوا"

"سرکار کئی دنوں سے پاکستانیوں اور غیر بنگالیوں کو کشتیوں میں بٹھا بٹھا کر برما بھجوایا ہے"۔ رام نے رازدارانہ لہجے میں کہا اور کپتان چونک پڑا

''اچھا! پیسے لے کر یا ترس کھا کر''

''اجی ترس کون کھائے ہے کسی پر؟ یہ مسلے بھلا ترس کھانے کے قابل ہیں پھر انہیں ترس کی ضرورت بھی کیا ہے جب ذرا تن کر دکھاؤ جھٹ سے دو تین ہزار روپیہ نکال کر سامنے رکھ دیویں ہیں''

''پھر تو تم نے کافی روپیہ بنا لیا ہو گا''

نہیں سرکار بھگوان کی سوگند! کچھ جاستی نہیں بنا بس یہی تھوڑا بہت''

رام پرشاد نے ڈرتے ڈرتے بڑی احتیاط سے جواب دیا۔

''مال وال تو لوٹا ہو گا'' کپتان کا تجسس اور بڑھ گیا۔

''ہاں سرکار تھوڑا بہت مال بھی لوٹا ہے''

''اور کوئی چھوکری بھی ہاتھ لگی کہ نہیں؟''

''چھوڑیئے سر'' رام پرشاد شرما سا گیا پھر کہنے لگا

''ہم بڈھے آدمی چھوکری کو کیا کریں گے چھوکریاں تو سب جوان افسر لے جاویں ہیں۔ آپ بتائیں آپ کو ملی یا نہیں''

رام پرشاد کی طرف سے یہ غیر متوقع سوال سن کر کپتان بھی شرما گیا اور اپنی مسکراہٹ چھپاتے ہوئے بولا۔ ''شٹ اپ''

رام پرشاد ہنس پڑا اور کپتان بھی مسکرانے لگا یکایک پروپیلر پر کپتان کی گرفت مضبوط ہو گئی اور وہ گھبرا کر بولا۔

''رام پرشاد خطرہ سر پر آگیا گن بوٹ کی توپیں درست کرو اور تیار ہو جاؤ''۔

رام پرشاد نے بدحواسی میں بائی نو کلر اٹھا کر آنکھوں پر لگائی مگر کپتان نے چھین کر ایک طرف رکھ لی اور کہا۔

''اس کی ضرورت نہیں یہ دیکھو بالکل سامنے''

''ہے رام یہ تو بالکل قریب آگئی ہے'' رام پرشاد اور گھبرا گیا۔

''میں بوٹ کو قریب لئے چلتا ہوں تم اسکا جائزہ لو کہ یہ کیا چیز ہے'' رام پرشاد اس مقصد کے لئے بالکل تیار نہ تھا مگر کپتان کے حکم کی وجہ سے خاموش رہا۔ کپتان نے کشتی کی رفتار کم کر دی اور اسے قدرے گولائی میں چلانے لگا جبکہ رام پرشاد شیشے کے بالکل

قریب کھڑا ہوکر دور بین سے سمندر کی طرف دیکھنے لگا کچھ دیر مکمل خاموشی رہی مگر اگلے ہی لمحے وہ حیرت کی تصویر بن گیا۔

"سرکار یہ تو وہی مورت ہے" رام پرشاد نے نظریں سمندر پر گاڑتے ہوئے کہا

"مورت" کپتان نے حیرانی سے کہا "کیا مطلب"

"سر وہی تصویر جو اس سنکی بوڑھے نے کل سمندر میں پھینکی تھی"۔ رام نے اسی انداز میں جواب دیا۔

"تصویر! سنکی بڈھا...... یہ کیا بک رہے ہو رام؟" کپتان چکرا کر بولا

"سر کل جب کشتی کو پکڑا تھا اوہو آپ نہیں تھے..... خیر سرکار یہ مورت وہ دیکھئے قریب آ رہی ہے۔ فائر کروں سر؟"

رام پرشاد بالکل چکرا گیا تھا

"بک بک بند کرو" کپتان چلایا "پہلے بتاؤ چکر کیا ہے؟"

"سر وہ مورت ہے بڈھے نے پھینکی تھی سمندر میں۔ لہروں کے ساتھ قریب آ رہی ہے سرکار گولی چلا دوں سر بتائیں"

"رام پرشاد" کپتان دھاڑا "میں تمہیں گولی مار دوں گا بتاؤ اصل بات کیا ہے"

کپتان نے رام پر پستول تان لیا رام پرشاد ڈر کر پیچھے ہٹ گیا پھر اس نے ایک نظر کیپٹن کلدیپ پر ڈالی اور دوسری سمندر میں چمکتی ہوئی چیز پر پھر کپتان پر نظریں گاڑ کر بولا

"ٹھہریئے سر میں سب کچھ بتاتا ہوں وہ دیکھئے تصویر قریب آ رہی ہے"

رام پرشاد نہایت بد حواس ہو رہا تھا۔

"کل سر ایک کشتی کچھ پاکستانیوں کو لے کر بھاگ رہی تھی اس میں پاکستانی بھی تھے۔ بنگالی بھی تھے اور سر بہاری بھی تھے یہ لوگ برما جا رہے تھے کیونکہ برما کے قریب سمندر میں بارودی سرنگیں نہیں ہیں اتنے میں ہماری پیٹرول بوٹ نے اسے دیکھ لیا اور جا لیا میں اور دو مڈ شپ مین اس میں کود گئے اور سب کو ہینڈز اپ کروا کر مال سمیٹنے لگے مگر سر ایک کمزور سے بڈھے نے ہاتھ اوپر نہ کئے بلکہ ایک فریم کو گلے سے لگائے بیٹھا رہا۔ ہم نے پوچھا تو بولا تم لوگ سب کچھ لے جاؤ مگر یہ تصویر مول نہ دوں گا یہ

میرے پتا کی مورت ہے ہم نے اسے گولی مارنے کی دھمکی دی تو اس نے جھٹ سے تصویر سمندر میں پھینک دی یہ تصویر وہی ہے جو ...."

"کس کی تصویر تھی وہ؟"

کپتان نے پستول نیچے کرکے پوچھا اور رام پرشاد کی جان میں جان آئی۔

"سر وہ جناح صاحب کی تصویر تھی۔ وہ کہتا تھا میرے باپو کی تصویر ہے"

رام پرشاد قدرے تسلی سے بولا۔

"سالے کے اتنی گولیاں مارتے کہ اس کے باپو کی روح بھی کانپ اٹھتی" کپتان نے حقارت سے کہا۔

"دل تو ہمارا بھی یہی چاہتا تھا سر۔ پرنتو اس نے ہمیں موقع ہی نہ دیا" رام نے ترت جواب دیا۔ "ہم مورت کو دیکھتے رہ گئے اور وہ جھٹ سے سمندر میں کود گیا۔ وہاں اس نے مورت کو چھاتی سے لگا لیا اور اگلے ہی لمحے ایک لہر اسے نگل گئی"

"اور یوں وہ تمہارے ہاتھ سے صاف بچ کر نکل گیا" کپتان کے لہجے میں پھر غصہ شامل ہو گیا۔

"سر میرا خیال ہے کہ یہ مورت کوئی عام چیز نہیں تھی۔ اسی کارن وہ بڈھا اسے چھوڑنے پر راضی نہیں تھا۔ اس مورت کی آنکھوں میں ضرور کوئی چیز تھی۔ دیکھیئے نا یہ روشنی اسی کی آنکھوں سے نکل رہی ہے۔"

کپتان اس طرف متوجہ ہو کر کہنے لگا

"لیکن یہ روشنی سارے سمندر پر کیسے پھیل جاتی ہے"

ابھی وہ کسی نتیجے پر پہنچنے کی کوشش ہی کر رہا تھا کہ ایک زبردست لہر کے دباؤ سے تصویر گن بوٹ کے بالکل قریب اور ایسے رخ پر آگئی کہ تصویر کی آنکھیں اور ان دونوں کی آنکھیں آمنے سامنے آگئیں۔ اور رام چلا اٹھا

"سر دیکھیئے روشنی ہماری گن بوٹ پر پڑنے لگی ہے۔ اسے جلدی سے تباہ کردیں۔ کہیں ایسا نہ ہو کہ بوٹ کے ہی دو انگ ہو جائیں"

کپتان کو کچھ سمجھ نہ آیا۔ اور اس نے رام پرشاد کو فائر کا حکم دے دیا۔ اگلے ہی لمحے سمندر کی پر سکون فضا گولیوں کے زبردست شور سے لرز گئی۔ فضا صاف ہوئی تو

تصویر کا فریم نظر آیا جو ریزہ ریزہ ہو چکا تھا۔ البتہ کاغذ کا ایک پرزہ پانی کی سطح پر اب بھی تیر رہا تھا۔ اس پرزے پر تصویر کے چہرے کا آنکھوں والا حصہ باقی تھا۔ کپتان اور کارپورل رام دونوں اسے قہر آلود نظروں سے دیکھ رہے تھے۔ اچانک رام پرشاد چونکا اور چلایا "روشنی" ساتھ ہی اس نے تصویر کے باقی ماندہ حصے پر گولیوں کی بوچھاڑ کردی۔ پھر رک کر پانی کے پر سکون ہونے کا انتظار کرنے لگا۔ جب سطح آب معمول پر آئی تو کاغذ کا وہ حصہ جس پر آنکھیں تھیں پھر ابھر آیا۔ رام پرشاد نے بغور اسے دیکھا پھر "روشنی روشنی" چلاتا ہوا گنوں کی طرف لپکا اور فائر کرنے لگا۔ اس بار بھی جب وہ رکا تو اس نے اور کپتان نے دیکھا کہ وہ آنکھیں ابھی سلامت تھیں رام پرشاد پر گویا دیوانگی کا دورہ پڑگیا۔

"روشنی انہیں آنکھوں سے آتی ہے۔ میں انہیں نشٹ کرکے چھوڑوں گا۔ دیکھتا ہوں اب کیسے آئے گی یہ روشنی"

یہ کہتے ہوئے رام فائر کرنے کو لپکا ہی تھا کہ کپتان نے اس کا ہاتھ تھام لیا

"رام پرشاد" وہ بولا "چھوڑ دو۔ اس روشنی کا منبع یہ آنکھیں نہیں کوئی اور ہی چیز ہے اور ہم اسے تباہ نہیں کرسکتے"

اور رام پرشاد حیرت سے کپتان کا منہ تکنے لگا۔

آدم خور

پیر سائیں کی کٹیا گاؤں سے باہر جنگل کی طرف جانے والے راستے پر تھی جہاں ایک بہت بڑا اور گھنیرا برگد کا درخت دور دور تک شاخیں پھیلائے کھڑا تھا۔ دن بھر تو پیر سائیں کے ہاں آنے جانے والے اس برگد کے نیچے بیٹھتے لیکن رات کو برگد کے سائے سے دور ہٹ کر کھلے آسمان تلے ڈیرا لگاتے پھر وہاں سیف الملوک' ہیر اور یوسف زلیخا پڑھی جاتی۔ حقے کا دور چلتا اور کبھی کبھی چرس کا دم بھی لگ جاتا۔ آج یہ محفل کئی روز کے بعد لگی تھی کیونکہ کچھ عرصے سے ایک آدم خور شیر نے آس پاس کے سارے علاقے میں تباہی مچا رکھی تھی۔ پہلے پہل تو وہ صرف جانوروں کا شکار کرتا تھا لیکن رفتہ رفتہ وہ انسانوں پر بھی حملے کرنے لگا اور پھر اسے انسانی خون کا ایسا مزہ پڑا کہ جانور تو پاس ہی کھڑا رہتا اور وہ آدم زاد کو اٹھا لے جاتا۔ گاؤں میں ایسا خوف و ہراس پھیل گیا تھا کہ لوگ سر شام ہی دروازے بند کر لیتے اور دبک کر لیٹ جاتے۔ پھر بھی آدم خور کو جہاں موقع ملتا ہاتھ صاف کر جاتا۔ اس طرح جہاں گاؤں کی دیگر زندگی متاثر ہوئی وہاں پیر سائیں کی محفل بھی ویران ہو گئی۔

مگر آج یہ خطرہ ہمیشہ کے لئے ٹل چکا تھا اور گاؤں کی رونق ایک بار پھر لوٹ آئی تھی۔ اس کے ساتھ ہی پیر سائیں کی محفل میں بھی رنگ بھر گیا تھا۔ حقے کا دور چل رہا تھا۔ چرس کے دم لگ رہے تھے اور قریب ہی آگ پر چائے کی کیتلی رکھی ہوئی تھی۔ البتہ کبھی کبھی جنگل سے شکاریوں کی مخصوص بولیوں اور گولیوں کی اکا دکا آوازوں سے سکوت ٹوٹ جاتا۔

"میرا خیال ہے ڈپٹی صاحب ابھی یہیں ہیں" محفل میں کسی نے خیال ظاہر کیا۔

"ہاں آج کی رات شکار کھیلیں گے۔ شاید کل واپس ہو جائیں" دوسرے نے جواباً" کہا "بہت بہادر آدمی نکلا۔ ایسا ظالم درندہ ہلاک کیا جو بڑے بڑے شکاریوں کے قابو بھی نہ آ سکا تھا" ڈپٹی کا ایک مداح جو نوجوان لڑکا تھا تعریف کے انداز میں بولا۔

"بہت بہادر جی....... دیکھو نا شیر مار نے خود چلے آئے اور آتے ہی اسے مار ڈالا"

چاچا گامن نے ہاں میں ہاں ملائی۔

"مگر یار اس بندر کا پتا نہیں کیا ہوا جو شیر کے ساتھ ہوا کرتا تھا" بچل نے نئی بات چھیڑی۔

"ابے یار پتا نہیں ایسی کوئی بات ہے بھی کہ نہیں۔ میں تو کہتا ہوں غلط ہی ہے بھلا شیر اور بندر کا کیا ساتھ"۔ گامن نے بیزاری سے کہا مگر بچل اپنی بات پر اڑا رہا۔

"لیکن گامن چاچا۔ یہ تو کئی لوگوں نے دیکھا ہے کہ جب بھی شیر نے کہیں حملہ کیا بندر یا تو پہلے دکھائی دیا یا بعد میں"

"ویسے وہ عموماً" پہلے ہی نظر آتا تھا۔ میں نے خود دیکھا ہے"۔ پیر سائیں جو اب تک چپ بیٹھا تھا بول پڑا اور یوں لگا جیسے اس کی بات پر سب نے یقین کر لیا ہو۔

"تو پھر یہ چکر کیا ہے۔ بندر کا شیر کے ارد گرد رہنا اور اکثر شیر کے حملے سے پہلے نمودار ہونا۔ یہ کچھ عجیب سا معاملہ ہے"۔ گامن شاید اب بھی غیر مطمئن تھا۔

"میرا خیال ہے کہ بندر شیر کا جاسوس تھا۔ وہ شیر کو شکار کی اطلاع دیتا تھا۔ اسی لئے وہ آدمی یا جانور کو دیکھ کر جلدی سے الٹے پاؤں غائب ہو جاتا تھا اور تھوڑی ہی دیر بعد شیر حملہ کر دیتا تھا"

سائیں کے اس خیال سے بھی تمام لوگ متفق نظر آئے۔

"سائیں جی یہ بھی سنا ہے کہ شیر اندھا تھا اور بندر اسے راستہ دکھایا کرتا تھا" بچل نے ایک اور بات جڑ دی۔

"بھئی یہ تو ہم نہیں کہہ سکتے تم ایسا کرو جاکر ڈپٹی صاحب سے پوچھ لو" سائیں کی اس بات پر سب ہنس پڑے۔

"اور باتیں تو چھوڑو۔ میں تو یہ کہوں گا کہ ایسے جانور کو مارنا بڑی بہادری ہے۔ سب شکاری ناکام ہو گئے تھے"۔ ڈپٹی کا مداح پھر بولا۔

"یار یہ ڈپٹی ہے ہی بڑا بہادر۔ جہاں بھی گیا وہاں سب کچھ ٹھیک ٹھاک کر دیا"۔ ایک دوسرا مداح بولا

"ہاں جی۔ اب یہاں جو شیر کی مار دھاڑ کی خبر سنی تو خود چلا آیا اور آتے ہی اسے ختم کر ڈالا"

یہ بات سن کر سائیں معنی خیز انداز میں مسکرایا اور کہنے لگا۔

"ہاں بابا۔ ختم کر ڈالا۔ چاہے باندھ کر ہی کیا ہو"

"باندھ کر!...... کیا مطب بابا سائیں" بچل نے حیرت سے پوچھا

"ارے بچہ۔ یہ بڑے لوگ یونہی تو شکار کرتے ہیں"۔ سائیں سخت لہجے میں بولا "یا تو شکار کو باندھ کر بے بس کر لیا اور پھر مار کر اپنی بہادری کا ڈھنڈورا پیٹ دیا اور اگر یوں نہیں کیا تو پولیس' پٹواری تحصیلدار اور فارسٹ کے عملہ کے ذریعے اور ماہر شکاریوں کی مدد سے شکار کا شوق پورا کر لیا۔ یونہی تو دو دو ہزار تیتر اور بارہ بارہ سو مرغابیاں مار لینے کی خبریں اخباروں میں نہیں لگ جاتیں"۔

"مگر بابا سائیں یہ تو شیر کا شکار تھا" بچل نے جھجکتے ہوئے کہا

"ارے تو کیا ہوا۔ یہاں بھی ایسا ہی ہوا ہے اتنی ساری طاقت' شکاریوں کا لشکر اور اتنا عملہ اکٹھا کر کے ایک جانور کو قابو کر لیا۔ اور اسے مار کر لگے بہادری کے قصے پڑھنے"

سائیں کا سخت لہجہ اور تنک مزاجی دیکھ کر تقریباً" سبھی لوگ جھینپ گئے۔ لیکن ڈپٹی کے مداح سے صبر نہ ہو سکا۔ اس نے نہ چاہتے ہوئے بھی کہہ ہی دیا کہ ہو سکتا ہے یہ باتیں درست ہوں مگر ڈپٹی صاحب نے ایسا نہیں کیا ہو گا۔ اس پر ابھی کسی طرف سے کوئی تبصرہ نہیں ہوا تھا کہ گامن خاں بول پڑا

"کیا پتا ہے جی۔ اللہ کے بھید اللہ ہی جانے"

"نہیں یار۔ ضروری تو نہیں کہ سبھی افسر ایسے کرتے ہوں۔ یہ ڈپٹی صاحب واقعی......" ابھی وہ بات کر ہی رہا تھا کہ سائیں چمک کر کہنے لگا۔

"ابے تجھے کچھ پتا ہے نہیں۔ یونہی باتیں کئے جا رہا ہے۔ تو ذرا سوچ تو سہی شیر تو مارا گیا کل رات مگر شکاریوں کی فوج چار دن پہلے کیوں پہنچ گئی تھی۔ پھر شیر کے دھاڑنے اور چلانے کی آواز دو دن تک ایک ہی جگہ سے آتی رہی۔ آخر میں کل ڈپٹی صاحب آئے اور آج صبح شیر کے مارے جانے کی خبر آ گئی۔ پھر ذرا پوچھ تو جھینڈے

چمار سے جس نے شیر کی کھال اتاری ہے اسکا کہنا ہے کہ کھال ایک ہی پہلو سے جگہ جگہ نچی ہوئی تھی۔ اس کی ٹانگوں اور پنجوں پر ایسے نشان تھے جن سے پتا چلتا تھا کہ شیر کا شکار نہیں کیا گیا بلکہ اسے پکڑ کر اسکی مشکیں کسی گئیں۔ اسے گھسیٹ کر یہاں لایا گیا اور مارا گیا"۔

پیر سائیں نے ایک ہی سانس میں یہ ساری باتیں ایسے جارحانہ انداز میں کہہ ڈالیں کہ ڈپٹی کا مداح بے چارہ "اللہ جانے جی" کہہ کر چپ ہو گیا۔ اس پر بچل نے مداخلت کی

"ارے یار پیر سائیں جو بات کہہ رہے ہیں وہ سچ ہی ہو گی"

مگر دوسرے شخص نے پھر بات آگے بڑھائی۔ اس کی شاید تسلی نہیں ہو رہی تھی

"ہاں بھئی ہاں۔ پیر سائیں کی بات تو ٹھیک ہی ہوگی۔ اگر اور کوئی کہتا تو میں کبھی نہ مانتا۔ اب دیکھو نا کہنے والے تو یہ بھی کہتے ہیں کہ شیرو چانڈیو کو بھی باندھ کر مارا گیا"

"ایسا ہی ہوا ہو گا جی۔ نہیں تو وہ کب کسی کے قابو آنے والا تھا۔ پولیس اس پر ہاتھ نہیں ڈالتی تھی اور یہ ڈپٹی شپٹی اس کے علاقے کا رخ نہیں کرتے تھے۔ اصل شیر تو وہ تھا اس علاقے کا" گامن نے پہلی بار بڑے زور شور سے بات چیت میں حصہ لیا

"ہاں جی۔ بڑی دلیری کی بات ہے ایسے شخص پر ہاتھ ڈالنا۔ جس کسی نے بھی کیا بڑا کارنامہ کیا"۔ بچل بولا

"نہیں یار" گامن بولا "کوئی کارنامہ وارنامہ نہیں۔ اسے مروایا اس کے جگری دوست ڈینو بروہی نے۔ جو پولیس کے ہاتھ بک گیا۔ نہیں تو شیرو کہاں مرتا تھا ایسے لوگوں سے"

"یہ ڈینو بروہی کون تھا چاچا"۔ بچل نے پوچھا

"وہ بھی ڈاکو تھا اور شیرو کا بڑے اعتماد کا ساتھی تھا۔ وہ بڑا بھروسہ کرتا تھا اس پر۔ ہر ڈاکے میں ہر مقابلے میں پہلے وہ سامنے آتا تھا۔ اس کے بعد شیرو دکھائی دیتا تھا وہ

تو شیرو سے کبھی الگ نہ ہوتا تھا۔ بس آگیا چکر میں"

"چاچا اس کا مطلب تو یہ ہوا کہ وہ شیرو کا بندر تھا" بچل نے ازراہ تفنن کہا اور کچھ لوگ مسکرا دیئے۔

"تبھی تو خود بچ گیا اور شیرو مارا گیا...... اور وہ بھی ایسے ہی کسی ڈپٹی کے ہاتھوں" سائیں نے گرہ لگائی اور سب ہنسنے لگے

"سائیں جی تو گرم ہیں بھائی آج۔ پولیس پر بھی اور ڈپٹی صاحب پر بھی"

ڈپٹی کا مداح ایک بار پھر بات چیت میں کودا۔

"ہاں ہاں گرم ہوں" سائیں تنک کر بولا "میں جانتا ہوں ان ڈپٹیوں کو بھی' ان کی پولیس کو بھی اور ان کے مقابلوں کے بھید کو بھی...... تو خواہ مخواہ بڑھ بڑھ کر باتیں نہ بنا تیری ابھی عمر ہی کیا ہے اور بچہ میں نے دنیا دیکھی ہے۔ اب اگر بن باس لے لیا ہے تو اسکا مطلب یہ نہیں کہ ہمیں دنیا کے دھندوں کا پتا ہی نہیں۔ ہم سب پاپڑ بیل چکے ہیں" سائیں کا غصہ اب سب پر عیاں تھا۔ سب چپ ہو گئے۔ گامن نے سائیں کا کندھا دبانا شروع کر دیا اور اسے ٹھنڈا کرنے کی کوشش کرنے لگا۔

"چھوڑو پیر سائیں۔ بچہ ہے اسے عقل ہی کیا ہے"

کچھ دیر کے لئے سکوت طاری ہو گیا۔ اس دوران پیر سائیں نے حقے کے دو تین لمبے کش لئے پھر خود ہی گویا ہوا

"ڈینو بروہی شیرو کا بڑا وفادار دوست تھا۔ وہ بھاگنے یا بکنے والا نہیں تھا۔ میں یہ سب بات جانتا ہوں جو کچھ مجھے پتا ہے وہ تم لوگ نہیں جانتے"

کچھ دیر کے لئے پھر خاموشی چھا گئی گامن خاں نے مسکراتے ہوئے سائیں کا گھٹنا دبایا اور کہنے لگا

"اچھا تو پیر سائیں آج بتا ہی ڈالو کہ یہ بات کس طرح تھی"

میں بات تو سب جانتا ہوں مگر بتاؤں گا نہیں۔ اگر تمہیں بہت شوق ہے پوچھنے کا تو اس لڑکے سے پوچھ لو"۔ سائیں بدستور گرم تھا۔

"ارے بابا سائیں۔ آپ کی بات تو پھر بات ہوئی نا۔ یہ چھوکرا تو ابھی بچہ ہے اسے کیا خبر کہ دنیا کیا ہوتی ہے" گامن خاں نے سائیں کو ٹھنڈا کرنے کی کوشش کی۔

ساتھ ہی مڑ کے لڑکے کی طرف دیکھتا ہوا بولا "دیکھ او لڑکے۔ خبردار جو تو اب بولا۔ یہاں بیٹھنا ہے تو ادب سے بیٹھ۔ نہیں تو چل یہاں سے اور جا بیٹھ اپنے ڈپٹی کے قدموں میں"

"معاف کردو بابا سائیں اب نہیں بولوں گا" لڑکا سراپا معذرت بن گیا "اور چاچا گامن میرے ڈپٹی تو پیر سائیں ہیں میں کیوں جانے لگا کہیں اور"

"اچھا تو بس پھر چپکا بیٹھا رہ...... چھوڑو پیر سائیں معاف کردو' بچہ ہے۔ ہاں تو کیا بات تھی"

سائیں نے حقے کا ایک لمبا کش لیا اور قدرے توقف سے شروع ہوا۔

"شیرو چانڈیو اور ڈینو بروہی دونوں کی بڑی دہشت تھی اور دونوں تھے بھی بڑے بہادر۔ پولیس ولیس کو کچھ نہیں سمجھتے تھے اور ڈاکہ بھی کہہ کر ڈالتے تھے۔ علاقے کے سارے وڈیرے اور زمیندار ان سے گھبراتے تھے اور ان سے بنا کر رکھنے میں اپنی عافیت سمجھتے تھے۔ میں کتنے ہی ایسے بڑے لوگوں کو جانتا ہوں جو ان دونوں کو پناہ بھی دیتے تھے اور مہینہ بھی اور ان سے اپنے کام بھی لیتے تھے۔ بس گاڑی یونہی چلتی رہی مگر ایک بار وہ دو وڈیروں کی لڑائی میں آگئے۔ ایک وڈیرا ان کا دوست تھا اور ان سے کام لیتا تھا دوسرا انہیں اس سے توڑنا چاہتا تھا۔ وہ اس میں کامیاب نہ ہوا تو اس نے چانڈیو اور بروہی کی جوڑی توڑ کر ان میں سے کسی ایک کو اپنا ساتھی بنانا چاہا اور اس کے لئے اس نے سازشوں کے جال بننے بھی شروع کر دیئے مگر........"

سائیں کی بات ابھی جاری تھی کہ وہی نوجوان پھر بول پڑا کہ اچھا یوں ہوا قصہ' مگر سائیں نے اسکی طرف کوئی توجہ نہ دی اور بات جاری رکھی۔

"جب وہ اس میں بھی کامیاب نہ ہوا تو اس نے ایک روز شیرو اور ڈینو کو اپنے گھر دعوت دی۔ ڈینو نے شیرو کو بہت سمجھایا کہ یہ کوئی چکر ہوگا وہاں نہ جائے مگر اس وڈیرے نے پیغام بھیجا کہ وہ دوسرے وڈیرے سے صلح کرنا چاہتا ہے اور اس سلسلے میں شیرو کی خدمات کا فائدہ اٹھانا چاہتا ہے شیرو نے ڈینو کی بات کی پرواہ نہ کی اور اسے زبردستی ساتھ لے کر وڈیرے کے گھر جا پہنچا۔ وہاں اس کی بڑی آؤ بھگت ہوئی۔ وڈیرے نے اسے خوب کھلایا پلایا اور دبا کر شراب پلائی۔ آدھی رات کے بعد شیرو جب

اجازت لے کر حویلی سے باہر آیا تو نظارہ ہی اور تھا حویلی کے چاروں طرف پولیس نے گھیرا ڈال رکھا تھا۔ شیرو نشے میں ٹن تھا۔ اسے کچھ سوجھا ہی نہیں۔ پولیس نے اسے پکڑ لیا مگر ڈینو بھاگ نکلا۔ پولیس نے شیرو کو پکڑ کر خوب بغلیں بجائیں مگر ڈینو نے جلد ہی اپنی موجودگی کا احساس دلا دیا۔ اس نے اچانک حملہ کرکے وڈیرے کے چار آدمی پکڑ لئے۔ اور ان کے بدلے شیرو کی رہائی کا مطالبہ کر دیا۔ وڈیرے نے بہت ہاتھ پاؤں مارے مگر پولیس اس کی کچھ مدد نہ کر سکی اور معاملہ لٹکا رہا۔ پھر ایک روز ڈینو نے ایک پولیس ملازم کو اغوا کر لیا۔ اسپر ہلچل مچ گئی۔ صلح کی بات چیت شروع ہوئی اور آخر حکومت اس شرط پر شیرو کو رہا کرنے پر رضا مند ہو گئی کہ ڈینو تمام آدمیوں کو رہا کردے گا اور شیرو اور ڈینو اپنی مجرمانہ سرگرمیاں بند کر دیں گے۔ شیرو اور ڈینو نے یہ شرطیں مان لیں۔ اور ڈینو نے سارے آدمی رہا کر دیئے۔ اگلی صبح ایک پولیس پارٹی شیرو کو لے کر ڈینو کے حوالے کرنے جنگل کی طرف آئی۔ وہاں پولیس نے شیرو کو ڈینو کے حوالے کردیا۔ دونوں گھوڑوں پر سوار ہو کر جنگل کی طرف چلے مگر ابھی چند گز ہی گئے ہوں گے کہ ''ٹائیں ٹائیں'' فائر ہونے لگے اور دونوں ڈاکو زمین پر آ رہے۔ اگلے روز پولیس نے اس واقعہ کو یہ رنگ دے کر اخباروں میں شائع کرایا کہ ڈینو نے پولیس پارٹی پر حملہ کرکے شیرو کو چھڑا لے جانے کی کوشش کی تھی جس پر دونوں طرف سے فائرنگ ہوئی اور اس پولیس مقابلے کے نتیجے میں دونوں ڈاکو ہلاک ہو گئے۔ اس مقابلے میں حصہ لینے والے افسروں اور جوانوں کو نقد انعام اور تعریفی اسناد دینے کا اعلان کیا گیا۔

پولیس کمشنر نے ایک دعوت کا انتظام کیا جس میں سب اخبار والوں کو بلاکر دونوں کی لاشیں دکھائی گئیں اور ان سے چھینا جانے والا اسلحہ بھی دکھایا گیا لیکن ابھی یہ بات ہو رہی تھی کہ ایک شخص ''جھوٹ ہے'' ''جھوٹ ہے'' کا شور مچاتا ہوا اندر آگیا اس نے آتے ہی داڑھی وغیرہ اتار کر اپنی اصلی شکل دکھائی اور بتایا کہ وہ شیرو کا ساتھی اور دوست ڈینو ہے اور مارا جانے والا ڈاکو اس کا ہم شکل نورا ماچھی تھا جسے اس نے اسی خدشے کے پیش نظر اپنے بھیس میں بھیجا تھا کہ پولیس شیرو اور اسے مارنے کی کوشش کرے گی۔ اس نے چیخ چیخ کر کہا کہ پولیس نے وعدہ خلافی کی ہے اور شیرو پولیس مقابلے میں نہیں بلکہ دھوکے سے مارا گیا ہے اس نے یہ بھی کہا کہ وہ خود اور کچھ اور

لوگ موقعے کے گواہ ہیں جو دور سے چھپ کر یہ سب کچھ دیکھ رہے تھے۔

"وہ مارا....... پھر کیا ہوا" گامن بولا

"ہونا کیا تھا۔ ہر طرف سناٹا چھا گیا۔ پولیس کمشنر کا رنگ فق ہو گیا اور وہ اس کے سوا اور کچھ نہ کہہ سکا کہ اس بات کا کیا ثبوت ہے تمہارے پاس؟۔ جواب میں ہر شخص قہقہہ مار اٹھا اور پولیس کمشنر نے ڈینو کو گرفتار کرنے کا حکم دیا۔ اس پر ڈینو بولا کہ اس کی ضرورت نہیں وہ خود ہی گرفتاری دینے آیا ہے اور اخبار والوں کی موجودگی میں ہتھیار پولیس کے حوالے کرنا چاہتا ہے اور یہ کہ وہ اپنے دوست شیرو اور ساتھی نورا کی موت کی عدالتی تحقیقات کرانے کے لئے اخبار والوں کی مدد چاہتا ہے۔ اخبار والوں نے پولیس کمشنر کی خوب درگت بنائی اور ڈینو کو عدالتی چارہ جوئی میں مدد دینے کا وعدہ کیا۔

"کیا بات ہے۔ خوب دوستی نبھائی بھئی" بچل کہنے لگا۔

"ہاں بھئی ڈاکوؤں کے بھی کچھ اصول ہوتے ہیں جن کا وہ پورا خیال رکھتے ہیں۔ اگر اصول نہیں ہوتے تو ان وڈیروں اور ڈپٹیوں کے نہیں ہوتے۔ اصل ڈاکو اور اصل آدم خور تو یہ ہوتے ہیں سائیں"

"حق بات کی بابا سائیں۔ سولہ آنے ٹھیک" گامن نے فیصلہ کن انداز میں کہا۔

ڈپٹی کا مداح ابھی تک بالکل خاموش اور ساکت بیٹھا تھا۔ ایسے لگتا تھا جیسے داستان کا اثر اس پر غالب تھا۔ قدرے توقف سے کہنے لگا۔

"مگر بابا سائیں ڈینو کا کیا بنا"

"ارے بننا کیا تھا۔ کچھ دن تک اخباروں میں لے دے ہوئی۔ پھر معاملہ ٹھنڈا پڑ گیا۔ ڈینو پر کیس چلا اسے پانچ سال قید کی سزا ہوئی اور بات ختم"

"تو پھر اب وہ باہر ہوگا۔ اس بات کو کوئی دس بارہ سال تو ہو ہی گئے ہوں گے" گامن نے کہا

"ہاں۔ بلکہ شاید زیادہ۔ اور اب وہ بے چارہ کر بھی کیا سکتا ہے ہر کام کا ایک وقت ہوتا ہے اس کا وقت گذر گیا پھر شیرو جیسا ساتھی بھی تو نہیں مل سکتا نا" سائیں نے اداس ہو کر کہا

"مجھے مل جائے نا ڈینو تو میں اس سے کہوں کہ چل پھر گروہ بناتے ہیں اور میں

تیرا شیرو بنتا ہوں" ڈپٹی کا مداح مسکراتے ہوئے بولا۔

اس کی اس بات پر سائیں سمیت سب لوگ ہنس پڑے۔ پھر سائیں کہنے لگا

"اچھا تو تو ڈاکو بنے گا۔ جانے دے بیٹا یہ کوئی آسان بات نہیں اور پھر ڈاکو تو ڈاکو ہی ہوتا ہے چاہے کتنا ہی اچھا کیوں نہ ہو اور اگر وہ ڈاکے چھوڑ کر شریف آدمی بننا چاہے تو کوئی اسے بننے بھی نہیں دیتا۔ دونوں صورتوں میں پولیس کی خدمت کرنی پڑتی ہے۔ میری طرح......."

"آپ کی طرح! پیر سائیں....... یہ آپ کیا کہہ رہے ہیں" دو تین آدمی بیک وقت بول پڑے۔

"ہاں میری طرح....... چرس بیچ کر....... پولیس کی مخبری کرکے" پیر سائیں جذباتی سا ہو گیا تھا "میری طرح...... مجھے تم پیر سائیں ہی جانتے ہو نا...... میں ڈینو بروہی ہوں....... شیرو کا ساتھی....... اب سب کچھ چھوڑ دیا۔ بس اللہ کو یاد کرتا ہوں اور دنیا سے الگ تھلگ اس کٹیا میں رہتا ہوں۔ مگر پولیس کے لئے میں اب بھی ڈینو بروہی ہوں۔ اب میں تو کمبل کو چھوڑ چکا ہوں۔ مگر کمبل مجھے چھوڑنے کو تیار نہیں"

"مگر سائیں جی وہ........ یہ بات ...." حیرانی کے مارے بچل کے منہ سے لفظ نہیں نکل رہے تھے۔

"ہاں ہاں پتہ ہے پتہ ہے۔ بہت سے لوگوں کو معلوم ہے اور پولیس کے سب افسروں کو بھی معلوم ہے مگر اب کوئی میرا کیا بگاڑ سکتا ہے۔ میرے پاس اب رکھا ہی کیا ہے اور میں بھی ان کے سب بھید جانتا ہوں۔ مگر میں تو بس اب اللہ اللہ کرتا ہوں اور ان آدم خوروں سے دور رہنا پسند کرتا ہوں بیٹا"

محفل میں مکمل سناٹا چھا گیا تھا۔ ہر کوئی حیرت سے سائیں کے چہرے کو تک رہا تھا اور سائیں خاموشی سے بیٹھا اپنے آنسو روکنے کی کوشش کر رہا تھا کہ اتنے میں جھیندا چمار آگیا۔ اسنے آتے ہی سائیں کی محفل میں بیٹھے ہوئے لوگوں پر ایک نظر دوڑائی اور کہنے لگا

"ارے اتنی دیر ہوگئی۔ تم لوگ ابھی تک یہیں ہو"

"سائیں جی کی باتیں سن رہے تھے" گامن نے جواب دیا

"آج تو پیر سائیں نے بڑے کمال کی باتیں بتائیں ہیں بھئی"...... بچل بھی بات کئے بغیر نہ رہ سکا

"کیا کمال کی بات کردی پیر سائیں نے ہمیں بھی تو پتا چلے" جھیندا کہنے لگا مگر سائیں شاید نہیں چاہتا تھا کہ وہی بات دوبارہ چھڑ جائے چنانچہ اس نے بات بدل دی اور بولا

"چھوڑ یار جھیندے۔ بیٹھ ادھر اور انہیں ذرا بتا وہ شیر کے شکار والی بات"

"چھوڑو پیر سائیں وہ بات تو اب پرانی ہو گئی ایک نئی بات سنو" جھیندے نے جواب دیا

"چل نئی بات سنا دے"

"وہ نئی بات یہ ہے" جھیندا کہنے لگا "کہ آج ایک بندر نے اچانک ڈپٹی صاحب پر حملہ کر دیا"

"سچ"؟ دو تین لوگوں کے منہ سے بیک وقت نکلا

"ہاں ہاں۔ اس نے ڈپٹی صاحب کے کپڑے پھاڑ ڈالے۔ منہ نوچ کر لہو لہان کر دیا۔ عینک توڑ دی اور مزے کی بات یہ ہے کہ شیر کو مارنے والے ڈپٹی صاحب بندر کا کچھ بھی نہ بگاڑ سکے اور وہ سب کے دیکھتے ہی دیکھتے جنگل کی طرف بھاگ گیا"

بڈھائی سی

"نانا جان بڑے درویش آدمی تھے یار...... انگریز کے وقت میں جب مسلمان اچھے عہدوں پر کم ہی ہوتے تھے وہ اے ڈی آئی تھے پرائمری سکولوں کے اور سکولوں کا معائنہ کرنے دور دور تک جایا کرتے تھے۔ مگر کسی سکول سے کھانا تو درکنار چائے تک نہ پیتے تھے اپنے ساتھ دو گٹھڑیاں لیں ایک میں بھنے ہوئے چنے اور دوسرے میں گڑ باندھا' ہاتھ میں لمبا سا ڈنڈا لیا اور چل میرے بھائی۔

چودھری بزرگوں کی باتیں یونہی بڑے زور شور سے سنایا کرتا تھا۔

"بہت کم لوگ ایسے ہوتے ہیں جی...... دیکھو نا کتنی قناعت ہے۔ کیا خودداری ہے"۔ بھٹی کہنے لگا مگر شعیب پر ایسی باتیں کم ہی اثر کیا کرتی تھیں اسکا ذہن کوئی سنجیدہ بات سننے پر مائل نہیں تھا۔ جھٹ بولا۔

"یار تم کہتے ہو وہ اکثر لمبے لمبے سفر کیا کرتے تھے اور وہ بھی زیادہ تر پیدل پھر تو ان کے پاس بڑی کہانیاں ہوں گی"

"بڑی...... اور بہت دلچسپ" چودھری نے ترت کہا اور پھر کسی فرمائش کا انتظار کئے بغیر ہی شروع ہو گیا۔

"وہ بتاتے تھے کہ ایک بار ڈیرہ دون کی طرف ایک دور دراز سکول کا معائنہ کرنے گئے سکول پہاڑ کی چوٹی پر تھا اور آبادی اس سے بہت دور تھی نانا جان نے اپنی گٹھڑیاں اور ڈنڈا سکول کے برآمدے میں ایک بنچ پر رکھ دیا اور خود ہیڈ ماسٹر کے کمرے میں چلے گئے۔ وہاں کام میں مشغول ہو گئے کچھ دیر بعد ایک ماسٹر ہنستا ہوا داخل ہوا اور کہنے لگا صاحب ذرا باہر تو دیکھئے کیا ہو رہا ہے انہوں نے جو باہر دیکھا تو بڑا دلچسپ نظارہ تھا۔ سکول کے صحن میں بندر ہی بندر اکٹھے ہو گئے تھے انہوں نے دونوں گٹھڑیاں پھاڑ کر چنے اور گڑ نکال لیا تھا اور مزے سے دعوت اڑا رہے تھے۔

بھٹی جو زور دار قہقہہ لگانے کا عادی تھا باز نہ رہ سکا اور "کمال ہے بھئی" کہتے

ہوئے ایسا قہقہہ لگایا کہ تیز چلتی ہوئی گاڑی کے شور کے باوجود آس پاس کے لوگ چونک کر ادھر دیکھنے لگے۔

"سنو تو سہی آگے کیا ہوا" چودھری نے کہا "بندر مزے سے وہ دعوت اڑا رہے تھے کہ اسی اثناء میں ایک اور بڑا سا بندر وہاں آگیا ان سب سے قد کاٹھ میں بھی بڑا تھا اور عمر میں بھی بلکہ یوں کہیئے کہ عمر رسیدہ تھا اس نے ایک دو لمحے تو بندروں کو مزے اڑاتے دیکھا پھر یکایک اسے نہ جانے کیا سوجھی اس نے نانا جان کا ڈنڈا اٹھایا اور جاتے ہی پٹاخ سے ایک بندر کے سر پر دے مارا پھر ایک اور بندر کو اور پھر تیسرے کو۔ الغرض اس نے تمام بندروں کو ایک ایک دو دو ڈنڈے رسید کر دیئے اور بندروں کی دعوت خراب ہو گئی"۔

"گویا بندروں کی اسمبلی توڑ دی" شعیب نے خوب ہنستے ہوئے کہا اور باقی لوگ بھی ہنسنے لگے

"اچھا پھر" شعیب نے لقمہ دیا اور چودھری پھر سٹارٹ ہوا۔

"نانا جان کا نقصان تو ہوا مگر وہ بہت محظوظ ہوئے انہیں اس واقعہ کا اتنا مزہ آیا کہ جب وہ اس جگہ سے آگے کے سکولوں کا دورہ کرکے واپس ہوئے تو ...."

بات چیت کا سلسلہ تیز رفتار گاڑی کو اچانک ویکیوم لگنے سے ٹوٹ گیا اور "کیا ہوا .... اللہ خیر کرے" کے کلمات ادا کرکے چودھری کھڑکی سے باہر جھانکنے لگا اور لوگ بھی باہر دیکھنے لگے۔ گاڑی کچھ دور جا کر رک گئی اور بہت سے مسافر گاڑی سے اتر کر پچھلے ڈبوں کی طرف بھاگنے لگے جہاں لوگ جمع ہوتے جا رہے تھے "شاید کوئی گاڑی کے نیچے آگیا ہے" باہر سے ایک آواز آئی "انا للہ وانا الیہ راجعون○ .... شہید ہوتا ہے ایسا بندہ" چودھری نے فوراً فتویٰ جاری کر دیا۔

مگر صورت حال جلد ہی واضح ہو گئی جب ٹرین کا بوڑھا ٹکٹ کلکٹر ایک ادھیڑ عمر کے مسافر کے ساتھ زور دار انداز میں جھگڑا کرتا ہوا دکھائی دیا بوڑھا ٹکٹ کلکٹر کچھ سننے کی بجائے مسلسل بولے جا رہا تھا اور اس قدر غصے میں تھا کہ اس کے منہ سے جھاگ بہنے لگے تھے۔ مسافر کا قصور تھا وہ کہتا تھا کہ اس اسٹیشن پر نہیں اترے گا جہاں کا ٹکٹ اس کے پاس ہے بلکہ وہ پانچ سٹیشن آگے جائے گا اس نے ٹکٹ کلکٹر سے ٹکٹ بھی

مانگا تھا مگر بڈھا ٹکٹ کلکٹر بضد تھا کہ ایسا کیوں کیا گیا اور وہ اس کی یہی سزا دینا چاہتا تھا کہ مسافر کو یہیں نیچے اتار دیا جائے اور اسی ضد کے باعث اس نے زنجیر کھینچ کر گاڑی روک دی تھی۔ آخر کار کافی بحث تمحیص کے بعد اور مسافروں کے کہنے کہلانے پر طے پایا کہ مذکورہ مسافر کو اگلے سٹیشن پر اتار دیا جائے اور وہ بعد میں آنے والی گاڑی پر ٹکٹ لے کر سوار ہو۔

گاڑی چلی تو سلسلہ کلام دوبارہ شروع ہوا۔

"ہاں تو آپ بات کر رہے تھے کہ جب آپ کے نانا جان واپس آئے"۔ شعیب نے بات چلائی "ہاں......... وہ ایسا ہوا.........یار بہت بو آ رہی ہے...... یہ ریلوے والے مسافروں کے ساتھ ایک تو برتاؤ اچھا نہیں کرتے اوپر سے ٹرین میں صفائی کا قطعاً خیال نہیں کرتے دیکھو نا ٹائلٹ کا دروازہ کھل گیا ہے وہاں اس قدر غلاظت ہے کہ بدبو سے ناک پھٹی جا رہی ہے"

"کینیڈا میں بھی ایسا ہوتا ہے؟" شعیب آج سراپا مزاح بنا ہوا تھا۔ "استغفراللہ جی....... وہاں ایسا ہو تو طوفان کھڑا ہو جائے" چودھری نے جواب دیا۔ "وہاں مسافر بھی تو ایسے نہیں ہوتے ہوں گے جی یہ دیکھو نا اگر ٹائلٹ میں پانی نہیں ہے تو اسے استعمال نہیں کرنا چاہیئے مگر یہاں کوئی خیال ہی نہیں کرتا" ایک اور مسافر سیٹ کے پیچھے سے شامل گفتار ہوا۔

مگر بھٹی نے توسن گفتار کا رخ موڑ دیا جب اس نے ہلکے سے قہقہے سے بتایا کہ بڈھا ٹکٹ کلکٹر اسی ڈبے میں چڑھ آیا ہے۔

"اللہ ہی خیر کرے پتا نہیں اور کس کی شامت آئی ہے" شعیب چہکا۔

اس ڈبے میں زیادہ تر کسی کالج کے طلبا سفر کر رہے تھے جو تفریحی دورے پر نکلے تھے ایک تو طلباء' دوسرے تفریح کے موڈ میں .اور تیسرے اکثریت کے احساس کے ساتھ مگر لگتا تھا کہ بڈھے کو کسی معاملے یا مصلحت کا ادراک نہیں۔ اس نے آتے ہی تقاضا کیا کہ وہ سامان جو گاڑی کے دروازے کے پاس رکھا گیا ہے ہٹایا جائے تاکہ بقول اس کے کراس 'وینٹیلیشن' ہوتی رہے اور بدبو ختم ہو۔ ساتھ ہی اس نے ایک طالب علم سے سوال کر دیا کہ کراس وینٹیلیشن کیا ہوتی ہے اور اس کے سپیلنگ کیا ہوتے ہیں

بڈھے نے بھڑوں کے چھتے میں ہاتھ ڈال دیا تھا۔

"کراس ونٹ؟......... کیا باباجی......... کیا لفظ ہے" طالب علم بولا۔ "کراس ونٹی لیشن" بڈھے نے ایک ایک لفظ پر زور دیتے ہوئے کہا اور طالب علم ہنس پڑا پھر اعلان کے انداز میں زور سے کہنے لگا۔

"اوہ سنو بھئی......... ہے کوئی مائی کا لال جو بتا سکے کہ وہ کیا ہوتی ہے...... وہ...... کراس...... کیا لفظ ہے باباجی؟.........."

"کراس ونٹی لیشن .... باباجی کے پوتے" بڈھا گرجا اور اس کے منہ سے رال گر پڑی۔ قریب بیٹھے ہوئے چند مسافر بے ساختہ ہنس پڑے۔ "ہاں" وہ طالب علم بولا...... "کراس ونٹ...... سلوشن........."

طلباء ہنسنے لگے اور بڈھا خاموش کھڑا ادھر ادھر دیکھتا رہا جیسے یہاں بے بس ہو گیا ہو "یار سیدھی سی بات ہے" ایک اور طالب علم بولا "کراس ونٹ' یعنی کراس کرا کے آگے بھیجو اور دروازہ بند کر کے سلوشن لگا دو.........."

فلک شگاف قہقہے سے ڈبہ گونج اٹھا اور بڈھا ٹکٹ کلکٹر غصے سے تلملا اٹھا۔ "گستاخ' بدتمیز' جاہل' بے ادب' ایک لفظ تک کا پتا نہیں اور باتیں دیکھو" اب بڈھا مکمل طور پر طلبہ کی تضحیک کا نشانہ بن چکا تھا جس کا نوٹس ان کے ہمراہ جانے والے استاد صاحب نے لیا اور کسی نہ کسی طرح بڈھے کو آگے چلتا کیا لیکن ابھی اس موضوع پر بات چیت ختم نہ ہوئی تھی کہ بڈھا ٹکٹ کلکٹر ایک باریش بزرگ سے جا الجھا اور ایک دینی مسئلے پر بحث کرنے لگا خوب بولا خوب گرجا اور جب اس کے منہ سے چھینٹے گرنے لگے تو باریش بزرگ بڑے دھیمے مگر قابل سماعت الفاظ میں کہنے لگے "اچھا جناب آپ جو کہیں وہی سہی اور کہیں زنجیر کھینچ کر گاڑی ہی روک دیں"۔ اس پر بہت سے لوگ ہنس پڑے۔

"بابے کے ساتھ اچھی ہوئی"۔ شعیب ہنستے ہوئے کہنے لگا۔ "لیکن یار چودھری وہ بات بیچ میں ہی رہ گئی"۔

"کونسی بات؟...... اچھا وہ بندروں والی" چودھری نے ہنستے ہوئے کہا "وہ یوں ہوا کہ جب نانا جان واپس آئے تو انہوں نے جان بوجھ کر دونوں گٹھڑیاں اور ڈنڈا باہر

برآمدے میں رکھ دیا اور خود اندر چلے گئے مگر کتنی ہی دیر گزر گئی کوئی بندر نہ آیا......''

''بابے کی دہشت ہی اتنی تھی'' شعیب نے بات کاٹی۔

''کون سے بابے کی...... یہ ٹکٹوں والے بابے کی یا بوڑھے بندر کی؟'' بھٹی حسب عادت قہقہہ لگا کر بولا۔

''آخر ایک ماسٹر اُٹھا۔'' چودھری نے سلسلہ کلام پھر جوڑا۔

''اس نے دونوں گٹھڑیاں سکول کے لان میں رکھیں، پاس ڈنڈا رکھا اور عجیب و غریب آوازیں نکالنی شروع کر دیں۔ دیکھتے ہی دیکھتے وہاں بندر اکٹھے ہو گئے اور پھر وہی ہوا کہ گٹھڑیاں پھٹیں اور دعوت شروع ہو گئی۔

''بوڑھا بندر نہ آیا۔'' بھٹی نے پوچھا۔

''کیوں اداس ہو گئے ہو یار...... وہ بھی آیا اور اس نے آتے ہی وہی کام شروع کر دیا۔ ڈنڈا اُٹھا اس کو مار اس کو مار...... محفل پھر برخواست۔''

''گویا پھر اسمبلی توڑ دی۔'' شعیب پھر بولے بغیر نہ رہ سکا۔

''مگر اس مرتبہ گڑ بڑا مزیدار تھا اس میں گھی اور بادام ملے ہوئے تھے اس لئے بندر پھر جمع ہو گئے۔ ادھر بوڑھا بندر بھی سرگرم ہو گیا پھر تو وہاں اچھا خاصا معرکہ ہو گیا بندر اسے گھورتے، کاٹنے کو بڑھتے مگر بوڑھے کا زوردار ڈنڈا کھا کر پیچھے ہٹ جاتے۔ دیکھنے والوں کے ہنستے ہنستے پیٹ میں بل پڑ گئے۔ اتفاقاً ادھر ایک دیہاتی لڑکی آنکلی جو جنگل سے ٹہنیاں کاٹ کر لا رہی تھی اسے غالباً پیاس لگی ہوئی تھی''...... سلسلۂ کلام ایک بار پھر منقطع ہو گیا جب تیز رفتار گاڑی یکدم رکنے لگی کیونکہ کسی نے ویکیوم لگا دیا تھا۔

''ضرور یہ بوڑھے ٹی سی نے زنجیر کھینچی ہو گی۔'' کسی نے کہا۔ گاڑی کچھ فاصلے پر جا کر رک گئی اور مسافر گھبرا کر باہر دیکھنے لگے۔

''اب کیا پھڈا ہے۔''

''پتا نہیں لگ رہا...... یہ لو...... بوڑھے نے پھر کام دکھا دیا اب کسی عورت سے جھگڑ رہا ہے۔'' بھٹی نے کھڑکی سے باہر دیکھنے کے بعد کہا۔

''عورت ہے؟...... کس طرح کی عورت ہے؟'' شعیب پوچھنے لگا۔

''یار لگڑ یاں سی نہیں ہوتیں۔ وہی ہے۔ پتا نہیں چکر کیا ہے۔''

”خیر وہ خود ہی نمٹ لے گی........ لو گاڑی تو چل پڑی........
”مگر یہ سٹیشن ہے میرا خیال ہے بڈھے نے جان کر گاڑی سٹیشن پر رکوائی ہے“ شعیب بولتا چلا گیا۔

گاڑی چلنے کے بعد کافی دیر تک لوگ اس موضوع پر گفتگو کرتے رہے کچھ کا خیال تھا کہ عورت سے زیادتی ہوئی ہے اور کچھ کہتے تھے کہ ایسا ہی ہونا چاہیئے تھا تاہم ایک بات پر سب متفق تھے کہ بڈھا ٹی سی اپنے اختیارات کا استعمال کچھ زیادہ ہی کر رہا ہے۔ اب گاڑی پوری رفتار سے پھر اپنے سفر پر رواں تھی۔ گاڑی روکنے اور مسافروں کو اتار دینے کا موضوع چھوڑ کر مسافر پھر خوش گپیوں میں مصروف ہو گئے تھے کہ چودھری نے ایک بار پھر ٹائلٹ کی گندگی اور تعفن کا ذکر چھیڑ دیا۔ ٹائلٹ کا دروازہ خراب تھا۔ بار بار کھل جاتا تھا جس کا علاج ایک نوجوان نے نکال لیا۔ اس نے چاقو کی نوک سے دروازے پر نصب لیور گھمایا اور دروازہ بند ہو گیا۔ اس طرح مسافروں نے سکون کا سانس لیا اب شعیب کو پھر کہانی کا خیال آیا اور اس نے چودھری کو یاد دلایا مگر پیشتر اس کے کہ کہانی شروع ہوتی بھٹی نے زوردار قہقہہ لگا کر ویسٹیبول کی طرف اشارہ کیا۔ بڈھا ٹکٹ کلکٹر ایک بار پھر اسی ڈبے میں آ رہا تھا اب وہ سفید کرتہ پاجامہ اور سفید ٹوپی پہنے ہوئے تھا۔ اس کے ہاتھ میں کوئی کتاب بھی تھی گویا اب وہ ڈیوٹی پر نہ تھا وہ اندر آیا تو طلباء نے زوردار طریقے سے ”آئیے آئیے“ کہہ کر اس کا استقبال کیا۔ بڈھا ٹی سی انہیں کوستا ہوا آگے بڑھتا گیا اور اسی باریش بزرگ کے پاس آ بیٹھا اور پھر کوئی بحث شروع ہو گئی۔

”پھر زنجیر کھینچنے آئے ہیں آپ“؟۔ ایک طالب علم نے کہا۔

”نہیں اب میں ڈیوٹی پر نہیں ہوں“۔ بڈھا بولا اور طالب علم ”شکر ہے“ کہہ کر بیٹھ گیا۔

”جی چودھری صاحب پھر“؟۔ شعیب کو پھر کہانی کا خیال آیا اور چودھری گویا ہوا۔

”ہاں ہاں...... کہاں تک پہنچے تھے ہم....... ہاں وہ ایک لڑکی آ گئی جو جنگل سے ٹہنیاں کاٹ کر لائی تھی اسے پیاس لگی ہوئی تھی اس نے اپنا گٹھڑ وہاں رکھ دیا اور خود

سکول کے ہینڈ پمپ پر پانی پینے چلی گئی آن واحد میں بندر اس کے گٹھڑ پر پل پڑے تمام ٹہنیاں نکال لیں اور پھر بڈھے بندر کی وہ درگت بنائی کہ اسے بھاگتے ہی بنی۔ اس کے بعد بندروں نے خوب ضیافت اڑائی"۔

"ہونا یہی چاہیے تھا اس بڈھے بندر کے ساتھ" شعیب کے منہ سے یہ الفاظ نکلنے تھے کہ بڈھا ٹی سی چیخ چیخ کر بولنے لگا کہ اسے کس نے بڈھا بندر کہا ہے حالانکہ شعیب کو یہ علم بھی نہ تھا کہ کسی طالب علم نے چپکے سے بحث میں مشغول بڈھے ٹی سی کی ٹوپی اتار لی تھی اور وہ اس بات پر پہلے ہی سخت نالاں تھا آن واحد میں بڈھا اٹھا اور لپک کر زنجیر کھینچ ڈالی۔

"وردی میں نہ سہی مگر میرا صوابدیدی اختیار تو ہے میں زنجیر کھینچوں گا اور گاڑی نہیں چلنے دوں گا جب تک یہ سب مجھ سے معافی نہ مانگیں" وہ دھاڑا گاڑی کا ویکیوم لگا۔ گاڑی آہستہ ہوئی مگر رکی نہیں اور رفتہ رفتہ پھر رفتار پکڑ گئی۔ بڈھے کا منہ حیرت سے کھلے کا کھلا رہ گیا۔

"گاڑی بھی سمجھ گئی ہے کہ زنجیر کا غلط استعمال ہو رہا ہے۔ کوئی بولا اور بڈھا ایک بار پھر آپے سے باہر ہو گیا۔

"میں اسے روک کر چھوڑوں گا" یہ کہتے ہوئے وہ اٹھا اور زنجیر کی طرف بڑھا مگر ایک نوجوان نے راستہ روک لیا وہ تیزی سے دوسری زنجیر کی طرف لپکا مگر وہاں بھی کوئی راستہ روکے کھڑا تھا وہ یکے بعد دیگرے تیسری چوتھی اور پانچویں زنجیر کی طرف بڑھتے بڑھتے ٹائلٹ کے قریب آگیا جہاں دو تین نوجوانوں نے اسے قابو کر لیا ایک نے چاقو کی نوک سے لیور کھولا دو نے بڈھے کو ٹائلٹ میں دھکیلا اور دروازہ بند کر کے پھر سے لیور گھما دیا "وہ اس کا صوابدیدی اختیار تھا اور یہ ہمارا"۔ ایک نوجوان نے کہا۔ بڈھا دروازہ کھٹکھٹاتا رہا۔ گاڑی چلتی رہی مگر مسافر سکون سے بیٹھے رہے صرف شعیب نے ایک بار ٹائلٹ کے دروازہ کی طرف دیکھا اور اتنا کہا۔

"بابے کے ساتھ یہی ہونا چاہیے تھا"

آٹھویں گرہ

دن پر دن گذرتے گئے اور بوڑھی چڑیل بدستور یونہی اپنے عجیب و غریب مشغلے سے دل بہلاتی رہی جبکہ بے بس و مجبور سنہری شہزادی اسے اپنا مقدر جان کر خاموشی سے سب کچھ برداشت کرتی رہی۔ وہ اکثر سوچتی کاش اس کے بال اس قدر لمبے نہ ہوتے اور وہ اس عذاب میں مبتلا نہ ہوتی۔

شہزادی بچاری ایسا سوچنے میں حق بجانب بھی تھی کیونکہ یہ اس کی گھنیری سنہری دلکش زلفیں ہی تھیں جو اس کے لئے مصیبت کا باعث بنی ہوئی تھیں اور جو اس قدر لمبی تھیں کہ ایک کنیز محض انہیں اٹھا کر پیچھے پیچھے چلنے پر مامور تھی اور شہزادی کی ان زلفوں ہی کی وجہ سے ہی بوڑھی' بھدی' گنجی چڑیل' جس کی رال تو یوں بھی ٹپکتی رہتی تھی' مارے حسد کے جل مری تھی اور اسے اٹھا لے جانے پر تل گئی تھی۔

آج سنہری شہزادی اسی بوڑھی چڑیل کی قید میں تھی۔ اس نے اسے ویران علاقے میں واقع ایک بلند مینار کی سب سے اوپر والی منزل میں قید کر دیا تھا اور اس کی خوبصورت زلفوں سے کھیلنا اور اپنے مقاصد کے لئے استعمال کرنا مشغلہ بنا لیا تھا جس کے لئے اس نے ایک وجہ جواز بھی ڈھونڈ لی تھی۔ ہوا یوں تھا کہ جب بوڑھی چڑیل' شہزادی کو مینار میں بند کر چکی تو اس نے اندر آنے جانے کے تمام راستے بند کر دیئے تاکہ مینار کی دنیا میں صرف شہزادی ہو اور کسی اور کو ان حسین گھنیری زلفوں کے قریب آنا تو ایک طرف' دیکھنے تک کا موقع نہ ملے مگر جب تمام راستے مسدود ہو گئے تو پتا چلا کہ وہ خود بھی اندر قید ہو چکی ہے اور باہر کا راستہ نکالنا اب ایک مسئلہ بن گیا ہے۔ پرانے راستے کو دوبارہ کھولنا اس کی انا اور مقاصد کے خلاف تھا اور نیا راستہ بنانا آسان نہ تھا۔

اس پریشانی میں اس کی نظریں غیر ارادی طور پر کھڑکی کی طرف اٹھ گئیں اور

وہاں سے گردش کرتی ہوئی پہلے شہزادی پر اور پھر اس کی زلفوں پر آ جمیں جو مینار کی اس آخری منزل کے فرش پر ہر طرف یوں بکھری ہوئی تھیں جیسے سونے کے چمکدار ملائم دھاگے۔ وہ لمحہ بھر ان سنہری دھاگوں کو تکتی رہی پھر اس نے ایک اچٹتی ہوئی نظر سوئی ہوئی شہزادی پر ڈالی اور اس کے بھدے چہرے پر ایک مکروہ مسکراہٹ پھیل گئی۔ وہ اٹھی اور جلدی جلدی شہزادی کے پریشان بالوں کو سمیٹنے لگی۔ مرتب اور منظم کر لینے کے بعد اس نے بڑے اہتمام سے ان بالوں کو بازوؤں سے ناپا تو اس کی آنکھیں چمکنے لگیں۔ اگلے ہی لمحے وہ بالوں کو مروڑ مروڑ کر رسے کی شکل میں لا رہی تھی۔ رسہ بن گیا تو اس کے مختلف مقامات پر اس نے سات گرہیں باندھیں اور اسے کھڑکی کے نیچے واقع نالی کے سوراخ میں سے باہر نکال دیا پھر بوڑھی چڑیل نے کھڑکی سے باہر جھانک کر دیکھا۔ رسے کا سرا زمین کو چھو رہا تھا۔ بوڑھی کی باچھیں کھل گئیں۔ لپک کر اس نے سوراخ کے دہانے کے قریب رسے پر موٹی سی ایک اور یعنی آٹھویں گرہ لگا دی جو سوراخ میں سے گزر نہیں سکتی تھی بلکہ اس کے دہانے پر اٹک جاتی تھی وہ آگے بڑھی اور کھڑکی سے باہر نکلی۔ ڈرتے ڈرتے اس نے بالوں کے رسے کو تھاما اور نیچے اترنے لگی ترکیب کامیاب پا کر اسے کچھ حوصلہ ملا تو وہ اوپر چڑھنے لگی اور اس میں بھی کامیاب رہی۔ اب اس کی کیفیت اس کھلنڈرے بچے کی سی ہو گئی تھی جو کوئی خطرناک کھیل کھیلتے ہوئے پہلے تو ڈرتا ہے پھر بار بار وہی کھیل کھیل کر خوشی محسوس کرتا ہے۔ وہ ایک بار پھر اتری..... بس یونہی پھر چڑھی۔ نہ جانے کتنی بار وہ یوں ہی کرتی اگر اس کے اعضاء بوڑھے اور قوی مضمحل نہ ہوتے۔ ادھر معصوم شہزادی ظلم کی چیرہ دستیوں سے سمجھوتہ کئے بے سدھ سوئی پڑی تھی اور ادھر یہ گھناؤنا کھیل جاری تھا۔

دن گزرتے گئے۔ بوڑھی چڑیل بدستور یونہی اس عجیب و غریب مشغلے سے دل بہلاتی رہی اور بے کس و مجبور سنہری شہزادی اسے اپنا مقدر جان کر خاموشی سے سب کچھ برداشت کرتی رہی۔ بسا اوقات وہ سوچتی کہ کاش اس کے بال لمبے نہ ہوتے اور وہ اس عذاب میں مبتلا نہ ہوتی لیکن بال تھے کہ مسلسل بڑھتے ہی چلے جا رہے تھے بلکہ ان کی لمبائی دو چند ہونے کو تھی۔ اس پر بوڑھی چڑیل بہت خوش تھی کیونکہ اس کا خیال تھا کہ سنہری شہزادی اب کہیں کی نہیں رہی اور اب وہ ہمیشہ قید میں رہے گی اور بال

جتنے بھی بڑھ جائیں گے اسی کے تسلط میں رہیں گے وہ بڑے آرام سے نیچے اترتی اور اطمینان سے اوپر چڑھتی رہی۔ وہ مطمئن تھی کہ وقت کا دھارا اس کی مرضی کے مطابق بہہ رہا ہے۔ پھر بھی وہ شہزادی اور اس کے بڑھتے ہوئے بالوں پر کڑی نگاہ رکھے ہوئے تھی اور ان بالوں کو کسی اور کام میں لانے کا سوچ رہی تھی۔

شہزادی کے بال بڑھتے ہی چلے جاا رہے تھے۔ اب وہ اپنی اصل لمبائی کا دو چند ہوگئے تھے مگر شہزادی انہیں اپنے لئے وبال سمجھتی تھی تاہم کبھی کبھی اس کے دل میں یہ خیال ضرور آتا کہ کاش یہ بال کبھی اس کے بھی کسی کام آتے۔ ادھر بوڑھی چڑیل بھی غافل نہ تھی۔ وہ کچھ اور ہی سوچ رہی تھی۔ ایک روز اس نے شہزادی کے بالوں کو گردن کے قریب سے پکڑا اور شانوں کے عین اوپر سے کاٹ دیا۔ بالوں کے الگ ہوتے ہی شہزادی کو یوں محسوس ہوا جیسے وہ بے وقعت ہو گئی ہو۔ بوڑھی چڑیل نے اس کے بالوں کو گوندھ گوندھ کر ایک خوبصورت بستر کی شکل میں بدلا اور فرش پر بچھا لیا۔ وہ ہر روز نرم مخملیں بستر پر لیٹ کر گہری نیند کے مزے لیتی اور جاتے وقت اس بستر کو سمیٹ کر کھڑکی کے نیچے دیوار کے ساتھ لگا جاتی۔

ایک روز شہزادی کا جی چاہا کہ وہ بھی اس بستر پر لیٹ کر دیکھے تو سہی کہ آخر اس میں کونسی ایسی چیز ہے جو بوڑھی چڑیل کو اس قدر سکون کی نیند سلاتی ہے۔ اس نے ڈرتے ڈرتے بستر کھولا مگر ابھی لیٹی بھی نہ تھی کہ اس کی نظر موٹی چپٹی آٹھویں گرہ پر پڑی۔ اسے یکدم غصہ آگیا کہ یہی وہ گرہ ہے جس کے بل بوتے پر بوڑھی چڑیل اسے اپنے قابو میں رکھے ہوئے ہے۔ اگر یہ گرہ کھل جائے تو وہ آزاد ہو سکتی ہے مگر کیا ایسا ممکن ہے؟۔ وہ سوچ ہی رہی تھی کہ بوڑھی چڑیل آگئی شہزادی نے بستر جلدی سے سمیٹا اور ایک طرف ٹکا دیا۔ بوڑھی چڑیل نے آتے ہی اسے بچھایا اور اس پر دراز ہو گئی چند ہی لمحوں میں وہ خراٹے لینے لگی شہزادی کو آج اسی ساعت کا انتظار تھا۔ اس نے بڑی سرعت کے ساتھ مینار کے باہر لٹکتا ہوا رسہ اوپر کھینچا اور چپکے سے آٹھویں گرہ کھول دی پھر ایک نئی گرہ کٹے ہوئے بالوں کے سرے پر لگاکر اسے چھپا دیا اور رسہ دوبارہ باہر لٹکا دیا اور بے تابی سے بوڑھی چڑیل کی رخصتی کا انتظار کرنے لگی۔

بوڑھی چڑیل آج بھی ویسی ہی خوش اور مطمئن تھی جیسی پہلے ہوا کرتی تھی

کیونکہ وہ سمجھتی تھی کہ وقت کا دھارا اب بھی اس کی مرضی کے مطابق بہہ رہا ہے مگر وقت کا دھارا رخ موڑ چکا تھا۔ وہ جونہی بیدار ہوئی شہزادی نے لپک کر بڑی برخورداری کے انداز میں بستر سمیٹ کر کھڑکی کے نیچے دیوار کے ساتھ اس طرح لگا دیا کہ سوراخ بھی چھپ گیا اور نئی گرہ بھی۔ یہ برخورداری دیکھ کر بوڑھی چڑیل کے چہرے پر مکروہ سی مسکراہٹ نمودار ہوئی۔ وہ خوشی خوشی بڑے اطمینان کے ساتھ کھڑکی سے باہر نکلی۔ بالوں کا رسہ تھاما اور حسب معمول لٹک گئی۔ اگلے ہی لمحے وہ دھڑام سے زمین پر آ رہی اسے سہارا دینے والی آٹھویں گرہ آج کھل چکی تھی اور اس کی جگہ جو نئی گرہ سوراخ میں اٹکی تھی وہ شہزادی کی رہائی کا وسیلہ بن گئی تھی۔

بالشتیے

جیل کی کوٹھڑی میں بیٹھا ہوا وہ مسلسل سوچے جا رہا تھا۔ اس کی سمجھ میں یہ بات نہیں آ رہی تھی کہ آخر اس سے خطا کیا سرزد ہو گئی کہ وہ اس قدر زیرِ عتاب آ گیا۔ رات کو اسے ایک اور کوٹھڑی میں منتقل کر دیا گیا جو پہلی کوٹھڑی سے تو قدرے بڑی تھی مگر اناج کی بوریوں سے اتنی بھری ہوئی تھی کہ اس جیسے لمبے تڑنگے قد آور شخص کے لئے مشکل ہی سے کافی جگہ بچتی تھی۔ ایک طرف ایک چکی رکھی ہوئی تھی۔ بادشاہ کا حکم تھا کہ یہ قیدی سابق وزیر تین دن کے اندر اندر یہ سارا اناج پیس کر دوبارہ بوریوں میں بھردے ورنہ اسے ہر روز دس کوڑے لگائے جائیں گے تاوقتیکہ وہ سارا اناج پیس نہ دے۔ بے چارے نے رات بھر خوب زور مارا۔ اگلے دن بھی چکی پیسی رات کو بھی چار و ناچار چکی پیسنے بیٹھ گیا مگر کرتا کیا؟ بازو شل ہو گئے تھے۔ ہاتھوں میں چھالے پڑ چکے تھے اور تھکاوٹ اور نیند نے اسے بے حال کر رکھا تھا لیکن اناج تھا کہ ایک بوری سے زائد نہ پیسا جا سکا تھا۔ وہ نڈھال ہو کر گر پڑا اور فوراً ہی نیند کی آغوش میں چلا گیا۔ وہ شاید رات بھر سویا رہتا اگر کوٹھڑی میں کسی چیز کی نقل و حرکت سے اسکی آنکھ نہ کھل جاتی۔ وہ ہڑبڑا کر اٹھ بیٹھا اور آنکھیں پھاڑ پھاڑ کر ادھر ادھر تکنے لگا۔ ایک طرف سے ہلکی ہلکی روشنی اندر آ رہی تھی۔ اس روشنی میں اس نے دیکھا کہ ایک بالشتیا' بالکل اسکے بازو کی نصف لمبائی کا' سامنے کھڑا مسکرا رہا تھا۔ وہ ابھی کچھ سمجھ بھی نہ پایا تھا کہ بالشتیا اسکے قریب آ گیا۔

"یہ سارا اناج تم پیسو گے؟ بالشتیا اس کے کان کے قریب آ کر بولا

"مجھے ہی پیسنا ہو گا میرے بھائی" وہ بے بسی سے کہنے لگا

بالشتیے نے قہقہہ لگایا اور کہنے لگا۔

"اچھا چلو پیسو۔ ہم بھی دیکھیں کہ تم قد آور لوگوں میں کتنی ہمت اور استقامت ہوتی ہے"

یہ کہہ کر بالشتیا غائب ہو گیا۔

اگلی رات وہ پھر ظاہر ہوا اور پسے ہوئے اناج کی طرف اشارہ کر کے کہنے لگا "بس اتنا ہی اناج پسا ہے؟ اور باقی؟"

"اتنا ہی پیس پایا ہوں چھوٹے میاں!"

"چھوٹے میاں!!! ہاہاہا!" بالشتیا قہقہہ لگا کر بولا۔ "جانتے ہو کل آخری دن ہے اور اناج ابھی ہلا تک بھی نہیں"

"کیا کروں بھائی۔ اب تو لگتا ہے کہ کوڑے ہی کھانے پڑیں گے"۔

"کتنے دن کھا سکو گے کوڑے"؟ بالشتیا کہنے لگا "چلو اچھا.... ہم بھی دیکھتے ہیں کہ تم قد آور لوگوں میں کتنی ہمت اور استقامت ہوتی ہے"

مگر پیشتر اس کے کہ بالشتیا غائب ہوتا۔ قیدی سابق وزیر نے اسے رکنے کے لئے کہا اور پوچھنے لگا کہ اسے کیا کرنا چاہیئے نیز یہ کہ کیا وہ اس کی کچھ مدد کر سکتا ہے یا نہیں۔

بالشتیا سن کر مسکرایا۔ پھر آنکھیں مٹکاتا ہوا بولا

"یہ سارا اناج پیسنا بھی کوئی بات ہے۔ صبح تمہیں سب پسا ہوا مل سکتا ہے"

"مگر وہ کیسے؟"

"تم اس بات کو چھوڑ دو۔ تمہیں کام مکمل چاہیئے نا" بالشتیا پر اعتماد لہجے میں کہنے لگا

"اور اس کے عوض........"

وہ ابھی بات پوری نہ کر پایا تھا کہ بالشتیا خود ہی بول پڑا

اس کے عوض تمہیں سال میں ایک بار رات کے پچھلے پہر کچھ دیر کے لئے اپنا قد کم کر کے بالشتیا بننا پڑے گا"

"بالشتیا بننا پڑے گا...... مجھے؟ مگر وہ کیسے"؟ اس نے حیرت سے پوچھا۔ یوں لگتا تھا جیسے اسے کچھ سمجھ نہ آ رہا ہو۔

"بات بالکل آسان ہے" بالشتیا بولا "اور تمہیں کچھ بھی نہیں کرنا پڑے گا۔ ہمارے سردار کے سامنے سر جھکاتے ہی تم خود بخود بالشتیا بن جاؤ گے اور اس کے جاتے ہی پھر ویسے ہی لمبے تڑنگے قد آور انسان........ بولو منظور ہے یہ شرط"۔

"باشتیا...... میں اور باشتیا! نہیں نہیں۔ یہ نہیں ہو سکتا۔ میں باشتیا نہیں بن سکتا"

"تو پھر مجھے اجازت ہے؟" باشتیا سوالیہ انداز میں کہنے لگا۔

وہ اسے "ہاں" کہنا چاہتا تھا مگر جونہی اس کی نظر اناج کی بوریوں کے ڈھیر پر پڑی وہ ٹھٹھک گیا اور آخر کار اس نے اپنی رضامندی ظاہر کر دی۔ آن کی آن میں ہزاروں بالشتیے جمع ہو گئے۔ چکی پستی گئی اور اناج آٹے میں تبدیل ہوتا رہا۔ حتی کہ صبح ہونے سے پہلے ایک دانہ بھی باقی نہ رہا۔

اس کی اگلی سزا سوت کاتنا تھی۔ اسے جس کوٹھڑی میں بند کیا گیا تھا وہ تمام روئی سے بھری ہوئی تھی۔ ایک چرخہ بھی مہیا کیا گیا تھا۔ جس سے اس تمام روئی کو تین دن رات کے اندر اندر دھاگے میں تبدیل کرنا تھا۔ ادھر یہ بے چارہ کہ سوت کاتنا تو کجا چرخہ چلانا بھی نہ جانتا تھا چنانچہ ہوا یہ کہ رات بھر میں لے دے کر صرف ایک انٹی تیار ہو سکی اور وہ پھر باشتیے کی راہ دیکھنے لگا دوسرا دن گذرا' رات بیتی حتی کہ تیسرا دن بھی گیا اور صرف ایک رات باقی رہ گئی۔ نصف شب تک باشتیا نہ آیا تو اسے بڑی تشویش لاحق ہوئی۔ اسی گھبراہٹ میں وہ خود چرخے کے سامنے جا بیٹھا۔ مگر جونہی چرخہ چلا۔ باشتیا آن موجود ہوا اور اس مرتبہ اس شرط پر کہ سال میں نہیں مہینے میں ایک بار رات کے پچھلے پہر کچھ دیر کے لئے اسے باشتیا بننا پڑے گا۔ بالشتیوں نے اس کا تمام سوت کات ڈالا۔

بادشاہ اس کے لئے سزائیں مقرر کرتا رہا اور وہ بالشتیوں کی شرائط مان مان کر خود کو مشکلات سے نکالتا رہا اور جب سب سزائیں ختم ہو گئیں تو معاہدے کی حتمی صورت یہ ظاہر ہوئی کہ وہ لمبا تڑنگا قد آور شخص ہفتے میں ایک بار رات کے پچھلے پہر بالشتیوں کے سردار کی خدمت میں پیش ہو کر کچھ دیر کے لئے باشتیا بنا کرے گا اور اس سے اپنی وفاداری کا دم بھرا کرے گا۔ قد آور سابق وزیر اب اگرچہ آزاد تھا مگر بالشتیوں کے سردار کی وفاداری کا دم بھرنا اور ہفتے میں ایک بار رات کے پچھلے پہر باشتیا بننا اس کے معمولات کا حصہ بن گیا تھا۔ وہ اس سے ملاقات کے لئے بیتاب رہتا تھا اور اسے بالشتیوں کی دنیا اچھی لگنے لگی تھی۔ وہ بالشتیوں کو اپنے محسن سمجھتا

تھا۔ بلکہ یہاں تک بھی سوچنے لگا تھا کہ بالشتیوں کے سردار کی غیر مشروط وفاداری سے شاید وہ اس قابل بھی ہو جائے کہ بادشاہ کا تختہ الٹ کر اس سے ان تمام سزاؤں کا بدلہ لے ڈالے جو بادشاہ نے بلاوجہ اسے دی تھیں۔ اس کے عوض اسے خواہ ہر روز بھی بالشتیا بننا پڑے تو وہ تیار ہوگا۔

وہ ہفتے میں ایک بار' رات کے پچھلے پہر بڑی سج دھج سے بالشتیے سردار کی خدمت میں حاضر ہوتا۔ اس کے سامنے جھک کر اسکی وفاداری کا دم بھرتا اور واپس آکر اپنے بستر پر سو رہتا صبح اٹھتا تو ویسے ہی لمبا تڑنگا اور قد آور ہوتا سلسلہ یونہی چلتا رہا۔

مگر ایک رات اس کے ذہن میں ایک ایسی عجیب بات آئی جو پہلے کبھی نہ آئی تھی اور وہ یہ کہ معلوم کرنا چاہیئے کہ بالشتیوں کا سردار اس سے ملاقات کے بعد کہاں جاتا ہے اور یہ کہ اس کے وفاداروں میں اس کے شناسا چہرے کون کون سے ہیں یہ شوق ایک روز اسے کشاں کشاں بالشتیے سردار کے پیچھے پیچھے لے گیا۔ وہ چپ چاپ دبے پاؤں بالشتیا بنا سردار کے جلوس میں چلتا گیا اور ...... جلوس شاہی محل میں داخل ہو گیا

یہاں اسے بے شمار شناسا چہرے دکھائی دیئے۔ کچھ نے تو اسے دیکھ کر رخ پھیرنے کی کوشش کی۔ کچھ نے عجیب سی مسکراہٹ کے ساتھ شرمندگی چھپانے کی سعی کی اور کچھ نے ایسے تاثرات کا اظہار کیا جیسے وہ بالشتیا برادری میں اسکی شمولیت کا خیر مقدم کر رہے ہوں مگر بولتا کوئی نہ تھا۔ سب خاموش 'گنگ جیسے ہونٹوں پر تالے پڑے ہوں۔

وہ آہستہ آہستہ آگے بڑھتا گیا اور جلوس کی بالکل اگلی صف میں جا پہنچا۔ یہاں پہنچ کر اسکی حیرت کی انتہا نہ رہی جب اسے نے دیکھا کہ بادشاہ بھی بالشتیا بنا ہوا ہے۔ بالکل اس جیسا..... اسی قد کاٹھ کا.... اسی طرح بالشتیے سردار کی وفاداری کا دم بھرتا ہوا

"تو یہ بات ہے" اس نے خود سے کہا...... "بادشاہ بھی اسی کا وفادار اور میں بھی...... تو پھر اس کے اور میرے درمیان اختلاف کیسا رہ گیا...... مگر اختلاف ہوا کیوں تھا..... کیا مسئلہ قد کا تو نہیں تھا...... یہی بات ہے....... بالکل یہی......... یہ آویزش تھی ہی اسی لئے کہ ہم دونوں اپنے اپنے قد سے محروم ہو جائیں..... کیوں نہ یہ بات بادشاہ کو باور

کرا دوں"

یہ سب کہتے ہوئے وہ آگے بڑھا اور بادشاہ کے سامنے جا کھڑا ہوا۔ بادشاہ نے اسے دیکھا اور اس نے بادشاہ کو۔ آنکھیں چار ہوئیں۔ مسکراہٹوں کا تبادلہ ہوا۔ دونوں نے آنکھوں ہی آنکھوں میں ایک دوسرے سے کچھ کہا اور پھر دونوں دھیرے دھیرے پیچھے ہٹنے لگے تاکہ بالشتیوں کے ہجوم سے باہر نکل کر کچھ بات چیت کر سکیں۔ لیکن جونہی وہ پیچھے ہٹتے ہٹتے ایک بغلی دروازے کی جانب بڑھے' بالشتیے سردار نے انہیں دیکھ لیا۔ وہ اچک کر ان کے سامنے آن کھڑا ہوا اور ان کے راستے میں حائل ہو گیا اور پھر دیکھتے ہی دیکھتے اس کا قد لمبا ہونے لگا اور اس کا اونچا چمکدار ہیٹ جس پر افقی متوازی لکیریں اور ستارے بنے ہوئے تھے' چھت سے جا لگا اور اس کی لمبی سفید داڑھی فرش کو چھونے لگی وہ نظریں جھکا کر انہیں دیکھ رہا تھا اور طنزیہ ہنسی ہنس رہا تھا۔

رفتہ رفتہ سبھی بالشتیے اس کے سامنے گھٹنوں پر جھک گئے اور آداب بجا لانے لگے۔ قدرے ہچکچاہٹ کے ساتھ' ایک دوسرے کو کنکھیوں سے تکتے' پہلے بادشاہ اور پھر یہ سابق وزیر دونوں بالشتیے سردار کے سامنے گھٹنوں پر جھک گئے اور آداب بجا لانے لگے۔

آندھی اندھے اور اندھیارا

آندھی کا زور جوں جوں بڑھتا گیا۔ لوگوں کی بینائی کمزور سے کمزور تر ہوتی گئی اور رفتہ رفتہ اس علاقے کے تمام لوگ اندھے ہو گئے۔ وہ خونی آندھی جہاں جہاں سے گذری وہاں وہاں سے ہی لوگوں کی زندگی تاریک کرتی گئی اور اب حالت یہ تھی کہ کھیت بھی تھے، فصلیں بھی تھیں، باغ بھی تھے اور پھل پھول بھی مگر یہ سب کچھ کسی کا نہ تھا۔ کیونکہ کسی کے کچھ کام کا نہ تھا۔ پھر نوبت یہاں تک پہنچی کہ یہ لہلہاتا ہوا زرخیز خطہ ارض ویران ہو گیا اور آنکھوں سے معذور باشندے دوسروں کے رحم و کرم پر رہ گئے۔ سب کچھ ہوتے ہوئے بھی وہ دوسروں کے محتاج اور دست نگر بن گئے۔ خوراک اور دیگر ضروریات زندگی باہر سے بطور امداد بھیجا جانے لگا۔ کچھ عرصہ تک تو یہ صورت حال ان لوگوں کے لئے پریشان کن رہی مگر آہستہ آہستہ وہ اس معذوری کو مجبوری جان کر حالات سے سمجھوتہ کر لینے پر آمادہ ہو گئے۔

موسیٰ بن حسین اس علاقے کا معمر ترین شخص تھا۔ وہ چلنے پھرنے بلکہ ہلنے جلنے سے بھی عاری تھا۔ مگر اس کی خاص بات یہ تھی کہ وہ اندھا نہیں تھا۔ آندھی کا پراسرار اثر گویا اسے چھو کر بھی نہ گذرا تھا۔ اس کے بارے میں مشہور تھا کہ ایک بار اس کا کوئی عمل الٹا ہو گیا تھا جس پر جنات اس سے ناراض ہو گئے تھے۔ انہوں نے اسے اٹھا کر زمین پر پٹخ دیا۔ جس سے اس کی کمر کی ہڈی ٹوٹ گئی۔ یہ روایت غلط تھی یا صحیح، مگر حقیقت یہ تھی کہ بوڑھا موسیٰ آنکھوں والا ہو کر بھی اندھوں سے زیادہ بے بس اور بے اثر ہو چکا تھا۔

موسیٰ اس آندھی کو عذاب الٰہی سے تعبیر کیا کرتا تھا۔ اسکا کہنا تھا کہ لوگوں کا یہ اندھا پن عارضی ہے اور اسے دور کیا جا سکتا ہے۔ لوگ پہلے پہل تو اس سے متفق نظر آتے تھے مگر بعد میں شاید اندھے پن کی طوالت نے انہیں بد دل اور مایوس کر دیا تھا۔

یا بے عملی اور آرام نے سہل پسند بنا دیا تھا کہ وہ اس موضوع پر غور تک کرنے کو تیار نہ تھے اور بوڑھے موسیٰ کی باتیں انہیں مجذوب کی بڑ محسوس ہوتی تھیں۔ تاہم کچھ لوگ ابھی موجود تھے جو جان کے اس روگ سے چھٹکارا حاصل کرنے میں سنجیدہ نظر آتے تھے۔ جب کبھی ایسے دو چار لوگ اتفاقاً" یا کسی موقعہ یا مناسبت پر ایک دوسرے سے ملتے تو اپنی حالتِ زار اور علاقے کی ویرانی کا تذکرہ کرتے کرتے بوڑھے موسیٰ کا ذکر ضرور کرتے اور اس کے اس موقف پر بھی سوچ بچار کرتے کہ ان کا اندھا پن عارضی اور قابل علاج ہے مگر جب بات کیسے اور کیونکر تک پہنچتی تو تعطل کا شکار ہو جاتی کیونکہ بوڑھے موسیٰ نے یہ آج تک کسی کو نہیں بتایا تھا کہ اندھا پن کیسے دور کیا جا سکتا ہے شاید کسی نے سنجیدگی سے اس سے پوچھا ہی نہ تھا۔ موسیٰ ضدی اور ہٹ دھرم تھا۔ وہ اس ایک بات پر اڑا ہوا تھا کہ جب تک ایسے لوگ سامنے نہیں آتے جو صمیم قلب سے اس عارضے کو ختم کرنے کے لئے میدان میں اترنے کو تیار ہوں۔ وہ کوئی طریقہ تجویز نہ کرے گا۔ آخر ایک روز ایسا بھی آگیا جب ایسے ہی چند دانا اندھے ایک باہمت نوجوان کو ہمراہ لئے بوڑھے موسیٰ کے پاس آگئے اور اس سے اندھے پن سے نجات کی ترکیب بتانے پر اصرار کرنے لگے ان کی نیت اور ارادہ بھانپ کر اور نوجوان کے عزم و ہمت کا اندازہ لگانے کے بعد بوڑھے موسیٰ نے آخر وہ راز بتانا شروع کر دیا جسکے بارے میں وہ آج تک خاموش تھا۔

"اگر یہ نوجوان مجھے اٹھا کر بستی کے باہر پرانے قلعے کی عقبی دیوار تک لے جائے تو میں تمہیں ایک کنویں کا پتہ بتا سکتا ہوں۔ جس کے اندر اس مرض کا علاج موجود ہے" موسیٰ بولا۔

"مرض کا علاج کنویں کے اندر!" ایک اندھا حیرت سے بولا۔

"ہاں کنوئیں کے اندر" موسیٰ تنک کر بولا۔ "مگر زیادہ باتوں کی ضرورت نہیں۔ اگر دل مانتا ہو تو چلو۔ وہاں چل کر کچھ اور بتاؤں گا"۔

پس اندھوں کی یہ مختصر سی ٹولی بوڑھے موسیٰ کو اٹھائے راستہ ڈھونڈتی ہوئی قلعے کی عقبی دیوار تک جا پہنچی۔ یہاں پہنچ کر بڑی مشکل اور صبر آزما مشقت کے بعد بوڑھے نے کنویں کے آثار کی نشاندہی کی۔ ساتھ ہی ایک بات جو اس نے بتائی وہ سب

کے لئے بڑی حیران کن تھی۔

اس نے بتایا کہ ایک بزرگ نے کئی برس قبل اس آندھی کی پیشگوئی کی تھی اور لوگوں کے اندھا ہو جانے کا خدشہ ظاہر کیا تھا۔ اس بزرگ کے پاس کسی خود رو پودے کی جڑیں تھیں۔ اس کا کہنا تھا کہ اگر ان جڑوں کو نمدار مٹی میں دبا دیا جائے یا نمدار جگہ پر مسلسل رکھا جائے تو یہ اگ پڑیں گی اور بیل کی صورت میں زمین پر پھیلتی چلی جائیں گی۔ اس بزرگ کا دعویٰ تھا کہ اس بیل کی ایک سبز شاخ توڑ کر آنکھوں میں لگالی جائے تو اندھا پن دور ہو جاتا ہے۔ موسیٰ نے یہ بھی بتایا کہ اس بزرگ نے اپنی وفات سے کچھ روز قبل اس کی موجودگی میں یہ جڑیں اس خشک اندھے کنویں میں پھینک دی تھیں اور کنویں کے دھانے پر پتھر کی سل رکھوا دی تھی تاکہ جڑیں محفوظ رہیں۔ اور زمانے کی دست برد انہیں تلف نہ کردے۔

موسیٰ کے کہنے پر نوجوان نے اسے کنویں کے آثار کے قریب اتار دیا۔ جہاں اس نے اس سل کی نشاندہی کی جو کنویں پر رکھی گئی تھی۔ پھر نوجوان سمیت تمام اندھوں نے مل کر زور لگایا اور بصد مشکل ایک عرصہ سے جمی ہوئی سل سرکنا شروع ہوگئی۔ سل ہٹ گئی تو موسیٰ زمین پر رینگ رینگ کر آگے بڑھا اور کنویں کے کنارے اوندھے منہ لیٹ کر اندر جھانکنے لگا۔

یکایک اسکا جھریوں بھرا زرد چہرہ دمک اٹھا۔

"ماشاء اللہ" وہ چہکا "جڑیں تو بیلیں بن گئی ہیں اور اس قدر پھیل چکی ہیں کہ تاریکی کے باوجود کنویں میں ہر طرف سبزہ ہی سبزہ دکھائی دے رہا ہے۔ اتنا سبزہ تو اس بستی کے ہر فرد کی آنکھیں روشن کردے گا"

اندھوں میں خوشی کی لہر دوڑ گئی۔ فرط جذبات سے وہ ایک دوسرے سے بغلگیر ہو گئے۔ ان کی گفتگو پر جذبات کا اثر نمایاں دکھائی دینے لگا تھا۔ اس پر موسیٰ نے انہیں جھاڑ پلائی اور بتایا کہ ابھی ایک زبردست مرحلہ باقی ہے اور وہ یہ کہ کنویں کے اندر کوئی اترے اور بیلوں سے تازہ سبز شاخیں اتار کر لائے۔ مگر سوال یہ تھا کہ کنویں میں اترے کون اور کیونکر۔

چند لمحوں کے لئے خاموشی طاری ہو گئی۔ کنواں بہت پرانا تھا۔ اس میں پانی

خشک ہو چکا تھا۔ صرف تہہ میں نمدار مٹی تھی جسے بیلوں نے ڈھانپ رکھا تھا۔ اس میں اترنا اور پھر واپس باہر آنا جان جوکھوں کا کام تھا اور کجا یہ اندھے کہ ہموار زمین پر بھی باآسانی نہ چل سکتے تھے۔ امید یاس میں بدلتی نظر آنے لگی۔

"اگر کنوئیں میں اترنے کے لئے کوئی بھی تیار نہیں تو پھر آؤ اس سل کو دوبارہ کنویں کے دھانے پر رکھ کر اسے بند کر دیں۔ تاکہ یہ بیش قیمت پودے محفوظ تو رہ سکیں۔ جب تمہارا ارادہ بن جائے اور کوئی اس میں اترنے کو تیار ہو جائے تو پھر کھول لینا اسے۔ ہم نے تمہیں راز بھی بتا دیا ہے اور راستہ بھی......" بوڑھے موسیٰ نے فیصلہ کن انداز میں بات کر دی۔

اگلے ہی لمحے وہ نوجوان اندھا جو موسیٰ کو اٹھا کر وہاں تک لایا تھا۔ سینہ تان کر سامنے آگیا "میں اترتا ہوں اس کنویں میں...... میں باہر آسکوں یا نہ آسکوں۔ مگر میں اس بیل کی روشنی بخش شاخیں ضرور تمہیں دے دوں گا...... موسیٰ بابا آپ مجھے بتائیں کہ میں کس طرح اندر اتروں"۔

اندھوں میں ایک بار پھر گویا زندگی کی لہر دوڑ گئی۔ داد و تحسین کی صدائیں ان کی منہ سے نکلنے لگیں موسیٰ نے ایک بار پھر انہیں سنجیدگی اختیار کرنے کو مشورہ دیا۔ ساتھ ہی وہ نوجوان سے مخاطب ہو کر بولا

"تمہاری ہمت اور نیت قابل تعریف ہے نوجوان۔ مگر تم یہ سبز شاخیں اس وقت اپنے ہی پاس رکھنا جب تک تم خود باہر نہ آجاؤ۔ اگر تم نے میرے اس مشورے پر عمل نہ کیا تو ایسی غلطی کرو گے جس پر ہمیشہ پچھتاتے رہو گے۔"

موسیٰ کی اس بات پر اندھے لمحے بھر کے لئے خاموش ہو گئے۔ پھر ایک اندھا ذرا سا آگے بڑھا اور کہنے لگا۔

"آپ کو ہماری نیت پر شبہ نہیں کرنا چاہیے۔ بھلا یہ کیسے ہو سکتا ہے کہ ہم اپنے محسن سے بے اعتنائی برتیں"

"ہم آپ کو تو اپنا رہبر مانتے ہی ہیں۔ مگر آج سے اس نوجوان کو بھی اپنا محسن اور نجات دھندہ تسلیم کریں گے کہ اس نے اندھوں کی آنکھیں روشن کیں" دوسرا بولا پھر ایک اور گویا ہوا

شاخیں باہر آتے ہی ہم انہیں اپنی اپنی آنکھوں میں لگالیں گے۔ اس طرح ہماری آنکھیں روشن ہو جائیں گی۔ اور ہم اس نوجوان کو بہتر طریقے سے باہر نکال سکیں گے"

"تم سب اپنی اپنی جگہ درست ہو" موسیٰ دھاڑا "مگر ایسا نہیں ہوگا۔ سب سے پہلے یہ نوجوان اپنی آنکھیں روشن کرے گا۔ پھر یہ ان شاخوں کو باہر لاکر میرے حوالے کرے گا۔ پھر تمہاری باری آئے گی۔ بولو منظور ہے؟"

"منظور ہے........ منظور ہے" تمام اندھے بیک آواز بولے

"تو پھر لاؤ اپنی اپنی پگڑیاں اتار کر مجھے دو"

بوڑھے موسیٰ نے آٹھ دس اندھوں سے پگڑیاں لے کر انہیں باہم باندھا اور پھر رسے کی شکل میں بل دے کر اسکا ایک سرا نوجوان کے سینے کے سامنے سے لے جا کر اسکی بغلوں کے نیچے سے نکالتے ہوئے ایک اندھے کی مدد سے دونوں شانوں کے درمیان مضبوط گرہ سے باندھا۔ دوسرا سرا اندھوں کو تھما کر نوجوان کو کنویں کی گول دیواروں کا سہارا لیتے ہوئے آہستہ آہستہ نیچے اترنے کو کہا۔ تھوڑی دیر بعد نوجوان اندھے نے کنویں کی تہ میں بحفاظت اتر جانے کی اطلاع دے دی۔

"شاباش" موسیٰ نے بلند آواز سے کہا" اب یوں کرو۔ بیل کی شاخوں کو ٹٹولو۔ اور جہاں سے شاخ بالکل نازک اور کومل لگے۔ وہاں سے اسے توڑ کر ذرا سا دباؤ پھر اپنی دونوں آنکھوں میں سلائی کی طرح پھیرلو۔ اور چند لمحوں کے لئے آنکھیں بند کرلو۔ پھر مجھے نتیجے سے آگاہ کرو۔"

کچھ دیر کے لئے بالکل خاموشی چھا گئی۔ اس دوران بوڑھا موسی زمین پر چت لیٹا رہا۔ تاہم اس کے چہرے اور آنکھوں سے اس کے اضطراب کی غمازی ہوتی تھی۔ ادھر اندھے انتظار کی کوفت میں انگلیاں چٹخ رہے تھے اور دیگر اضطرابی حرکات میں مشغول تھے کہ یکایک نوجوان کی پرجوش آواز سنائی دی

"موسی بابا...... موسی بابا۔ میری آنکھیں روشن ہو گئیں۔ مجھے سب کچھ صاف دکھائی دے رہا ہے"

اندھے خوشی سے اچھل پڑے۔ بوڑھا موسیٰ کچھ کہہ رہا تھا مگر اس کی آواز

اندھوں کے شوروغل میں دب کر رہ گئی۔ یوں لگ رہا تھا جیسے اندھے اتنے بے تاب ہو چکے ہیں کہ انہیں اب موسیٰ کے مشورے یا اس کی ہدایت کی بھی پرواہ نہیں رہی۔ کوئی نوجوان سے کچھ کہہ رہا تھا کوئی کچھ۔ لب لباب سب باتوں کا یہی تھا کہ شاخیں جلد از جلد ان کے حوالے کر دی جائیں۔

"ایسا نہیں ہوگا" کنویں میں سے آواز آئی "میں ویسے ہی کروں گا جیسے موسیٰ بابا کہیں گے"

"ویسے ہی کر لینا" ایک ادھیڑ عمر اندھا بولا "مگر یوں کروں کہ چند ایک شاخیں تو اوپر پھینک دو فکر نہ کرو ہم تمہیں ضرور باہر نکال لیں گے۔ بس ایک دو شاخیں ہمیں دے دو" ایک اور بولا "بلکہ یوں کرو کہ بہت سی شاخیں دے دو۔ ہم بستی میں جا کر زیادہ سے زیادہ لوگوں کی آنکھیں روشن کرکے انہیں یہاں لائیں گے۔ پھر تمہیں یہاں سے باہر نکال کر جلوس کی شکل میں ایک ہیرو کی طرح بستی میں لے جایا جائے گا" ایک تجویز آئی

"ہاں یہ تجویز بہت اچھی ہے۔ بلکہ میں تو کہتا ہوں کچھ جڑیں بھی ساتھ ہی اوپر دے دو" ایک اندھا بقراط چلایا۔

بوڑھا موسیٰ جو اب تک یہ سب کچھ سن رہا تھا پوری قوت سے چنگھاڑا

"نہیں بیٹا نہیں۔ ایسا ہرگز نہ کرنا"

پھر وہ اندھوں سے مخاطب ہو کر بولا

"مجھے تمہارے ارادوں میں خود غرضی، ہوس اور لالچ کی جھلک نظر آ رہی ہے اگر ایسا ہی ہے تو جاؤ جب تک تم اس نوجوان کو باہر لانے میں مدد نہیں دو گے کسی کو کچھ نہیں ملے گا۔

اندھے ایک بار پھر خاموش ہو گئے۔

"آخر تم لوگ چاہتے کیا ہو؟ کیا تم لوگ نہیں چاہتے کہ یہ نوجوان باہر آئے اور سب اندھوں کی آنکھیں منور کرنے میں مدد دے" موسیٰ سکوت توڑتے ہوئے بولا قدرے توقف کے بعد ایک اندھا یوں گویا ہوا۔

"موسیٰ بابا۔ چاہتے تو ہم یہی ہیں۔ مگر ہمیں خدشہ ہے کہ اس کامیابی کا سہرا

صرف اسی نوجوان کے سر باندھ دیا جائے گا اور ہم فراموش کر دیئے جائیں گے۔ ہم چاہتے ہیں کہ اس نیک کام میں ہمیں بھی حصہ دار تسلیم کیا جائے۔ آخر ہم بھی تو تگ و دو کرتے رہے ہیں۔ اس مقصد کے لئے"

موسیٰ کو یہ بات بہت ناگوار گذری مگر وہ اپنی طبیعت پر قابو رکھتے ہوئے کہنے لگا۔ "فکر مت کرو۔ ایسا نہیں ہوگا۔ اس علاقے کے لوگ' اسکی آئندہ نسلیں اور اس کی تاریخ تمہیں ضرور یاد رکھے گی۔ تم خاموشی سے اس نوجوان کو باہر آنے دو۔ ہم تمہاری مدد سے ہی باقی لوگوں کی آنکھوں کا علاج کریں گے۔

اندھے یہ سن کر چپ تو ہو گئے مگر کوئی بھی نوجوان کو باہر نکالنے کے لئے آمادہ نظر نہ آیا۔

"موسیٰ بابا! اگر کہیں تو میں شاخیں اکٹھی کرنا شروع کروں" کنویں کے اندر سے آواز آئی۔

"ٹھہرو بیٹا" موسیٰ بولا "ذرا انتظار کرو"۔

پھر وہ اندھوں سے مخاطب ہوا

"اگر تمہیں یہ خدشہ ہے کہ تمہاری خدمات کو بھلا دیا جائے گا اور تمہیں میری یقین دہانی پر بھی اعتماد نہیں تو تم لوگ واپس جا کر اپنے اپنے حلقہ اثر سے دس دس با شعور افراد کو اپنے ساتھ لے آؤ۔ وہ سب اس بل دیئے ہوئے کپڑے کے سرے کو اپنا ہاتھ لگا کر تمہارے حوالے کریں اور تم اس نوجوان کو باہر نکال لو۔ اس کے باہر آنے پر پہلے تم اپنی آنکھیں روشن کرو۔ پھر تمہارے ساتھ آنے والے لوگ اور پھر دوسرے لوگ۔ مگر یاد رکھنا۔ اس بات کو پھیلانا مت' نہ ہی زیادہ اختلافی بنانا۔ ورنہ کھیل بگڑ بھی سکتا ہے۔"

یہ بات سب کو بھا گئی۔ اندھے واپس بستی کو لوٹ گئے۔ واپسی کے لئے اگلے روز طلوع آفتاب کا وقت مقرر ہوا تھا۔ مگر اگلی صبح ایک اور ہی نظارہ دیکھنے کو ملا۔ اندھوں کی ایک بڑی تعداد کنوئیں پر پہنچ گئی تھی۔ مگر ان میں گذشتہ روز والوں میں سے کوئی بھی نہ تھا۔

یہ سب لوگ اندھے پن کے حق میں نعرے لگا رہے تھے۔ ایک اندھا کھڑا چیخ

کہہ رہا تھا۔

"ہم اس وقت دنیا کی ایک منفرد قوم ہیں۔ آس پاس کی دنیا ہمارے جان و مال اور ہمارے حقوق کی ضامن ہے۔ ہمیں کچھ کیئے بغیر وہ سب کچھ مل رہا ہے جس کے لئے آنکھوں والے باقاعدہ کوشش و محنت کرتے ہیں۔ یہ ایک نیا معاشرتی تصور ہے۔ یہ نیا عمرانی معاہدہ ہے۔ اب اندھے ہونا ترقی پسندی ہے اور آنکھوں والے ہونا رجعت پسندی ہے۔ آگے بڑھو اور کنویں کا منہ بند کردو۔ ہمیں یہ روشنی نہیں چاہیئے"۔

"نہیں چاہیئے۔ روشنی نہیں چاہیئے" کا شور بلند ہوتا گیا۔ کان پڑی آواز سنائی نہ دیتی تھی اس دوران بوڑھے موسیٰ نے زمین پر رینگ رینگ کر کسی نہ کسی طرح کپڑے کا ایک سرا پاس ہی کھڑے ہوئے ایک درخت کے ساتھ مضبوطی سے باندھ دیا تھا اور وہ نوجوان کو باہر آنے کا کہہ چکا تھا۔

نوجوان کپڑے کے رسے کے سہارے آہستہ آہستہ اوپر چڑھتا آ رہا تھا۔ لہلہاتی ہوئی سبز شاخیں اس کے پاس تھیں اور وہ کنوئیں سے باہر آنے ہی والا تھا کہ ایک اندھے کا پاؤں تنے ہوئے رسے میں الجھ گیا۔ اس نے فوراً اس تنے ہوئے رسے کو ہاتھ سے ٹٹولا اور شور مچا دیا

"وہ باہر آرہا ہے۔ سبز شاخیں باہر آ رہی ہیں۔ روشنی باہر آ رہی ہے۔ روکو اسے۔ روکو یہ رجعت پسندی ہے۔ یہ بنیاد پرستی ہے۔ روکو........"

اس کے ساتھ ہی روکو' روکو کا شور مچ گیا۔ ایک آواز خاص واضح تھی۔

"رسے کی گرہ کھول دو۔ کھول دو اسے۔ نہیں تو کاٹ دو۔ جلدی کرو ورنہ......"

دوسرے ہی لمحے کپڑے کو مروڑ کر بنایا ہوا رسہ کاٹ دیا گیا وہ نوجوان دھڑام سے واپس کنویں میں جا گرا۔ اندھوں نے آگے بڑھ کر پتھر کی سل سرکا کر کنوئیں کا دھانہ پھر سے بند کر دیا۔ کہا جاتا ہے کہ وہ نوجوان اب بھی اس کنویں کے اندر سے وقتاً" فوقتاً" پکارتا رہتا ہے۔ "موسیٰ بابا۔ موسیٰ بابا۔ مجھے باہر نکالو۔ میں باہر کب آؤں گا؟۔ پتھر کی یہ سل کب ہٹے گی؟۔ اندھی آنکھیں کب روشن ہوں گی؟"

اور موسیٰ جواب میں اسے تسلی دیتا رہتا ہے۔

تھوڑا اور انتظار کرلو بیٹا۔ وہ وقت ضرور آئے گا اور بہت جلد آئے گا۔

"اب کاہے کو روٹھے ہو"

کافی دیر تک داخلی خلفشار کا شکار رہنے کے بعد آخر میں اپنے شوق اور تجسس سے مجبور ہوگیا اور میں نے اس طرف ہی جانے کا فیصلہ کر لیا جہاں مجھے یقین تھا کہ اب کوئی نہ ہوگا اور تصور کے ہیولوں یا پھر ماضی کی یادوں کے مبہم نقوش کے سوا مجھے وہاں پر کچھ بھی نہ ملے گا۔ اب میں اس راستے پر رواں دواں تھا جو ڈھاکہ شہر سے باہر جاتے ہوئے محمد پور کی بہاری بستی کے قریب بہتی ہوئی برساتی ندی کے پل پر سے گذر کر جاتا ہے۔ پل پر سے گذرتے وقت میرا دل دھک دھک کرنے لگا اور میں عجیب و غریب جذبات اور احساسات کے زیر اثر آگیا کیونکہ یہ وہی پل تھا جہاں سے بھارتی جرنیل ناگرہ نے پاکستان کی مشرقی کمان کے سالار کو یہ تحریری پیغام بھیجا تھا کہ وہ پل پر ہتھیار ڈالنے کی دستاویز لئے کھڑا ہے اگر ارادہ ہو تو اپنا نمائندہ بھیج دے اور پھر اگلے روز تاریخ کا ایک بے رحم فیصلہ سامنے آگیا جو اور بہت سے مقامات کی طرح محمد پور' میر پور اور سید پور کی بہاری بستیوں پر قیامت بن کر نازل ہوا۔

پل پر سے گذر کر میں محمد پور کی طرف بڑھنے لگا جو اب بہاری کیمپ بن چکا ہے اور جہاں کے باسی اب بھی بنگلہ دیش کے اندر ایک پاکستان بسائے ہوئے ہیں میں کیمپ کے اندر جاکر وہاں کے حقائق جاننا چاہتا تھا لیکن قدم غیر ارادی طور پر ندی کے کنارے اگے ہوئے املی کے اس پرانے پیڑ کی طرف بڑھنے لگے جس کے نیچے لوہے اور لکڑی سے بنا ہوا ایک بنچ اب بھی پڑا تھا یہ بنچ ان ایام میں بھی وہیں بچھا ہوا تھا جب بنگلہ دیش ابھی پوربو پاکستان تھا اور میں ڈھاکہ میں بغرض سرکاری ملازمت قیام پذیر تھا۔ میں شام کو ٹہلتا ٹہلتا تقریباً" ہر روز ہی یہاں آجاتا تھا اور گھنٹوں اسی بنچ پر بیٹھا رہتا تھا اس کے پاس سے بہنے والی ندی دراصل ایک برساتی نالہ تھی جو برکھا کے دنوں میں ندی بن جاتی تھی ان دنوں اسکا نظارہ بہت بھلا معلوم ہوتا تھا۔ برسات کے اختتام پر جب نشیبی علاقے کے جوہڑوں میں خوبصورت موسمی پھول اگ آتے تو سڑک کے کنارے جگہ جگہ نوجوان بنگالی لڑکیاں پھولوں کے گلدستے' ہار' گجرے اور گلدانوں میں سجانے کے لئے پھولوں کی ڈالیاں لئے آن بیٹھتیں اور راہ چلتے لوگ رک رک کر ان سے پھول

خریدتے پیڑ سے کچھ ہی فاصلے پر چائے کا ایک سٹال تھا اور سٹال کے ساتھ ہی ایک پان والا بیٹھا ہوتا تھا۔ میرے یہاں آکر بیٹھنے کی ایک وجہ تو یہ تھی کہ مجھے یہ جگہ بہت پر سکون لگا کرتی تھی دوسری وجہ یہ کہ یہاں پھول بیچنے اور خریدنے والے لوگ نظروں کو بہت بھاتے تھے۔ یہیں ایک بنگالی لڑکی بلقیس بھی پھول بیچا کرتی تھی۔ سانولی رنگت' دراز قد' بڑی بڑی چمکدار خوبصورت آنکھیں' تیکھی پلکیں' سفید موتیوں جیسے دانت اور کولھوں سے نیچے تک آتی ہوئی سیاہ گھنیری زلفیں۔ اسکی ہموار کشادہ پیشانی اور گول مہتابی چہرے کے ہر ہر نقش میں سنہرا بنگال جھلکتا تھا۔ ہنستی تو یوں لگتا جیسے موتیے کی کلیاں کسی ڈالی پر لہرا رہی ہوں اور بولتی تو دھیمے سروں کی بنگالی موسیقی فضا میں بکھرتی ہوئی محسوس ہوتی۔ سارے پھول بیچ لیتی تو بڑی خوش نظر آتی۔ پھول نہ بکتے تو ذرا بجھی بجھی لگتی مگر خوبصورت سفید دانت دکھاتے ہوئے ہنسنے سے باز نہ رہ سکتی۔ پھول خریدنے کے لئے رکتی ہوئی کار کے ساکت ہونے سے پہلے ہی خود دوڑ کر کار تک جا پہنچتی اور پیسے وصول کر کے مسکراتی ہوئی واپس آتی۔ شوخ اور چنچل تو وہ اچھی لگتی ہی تھی افسردگی میں اور بھی دل کو لبھاتی۔ اس لئے میرا دل عموماً" یہی چاہتا تھا کہ اس کے پھول نہ بکیں اور وہ افسردہ اور بجھی بجھی دکھائی دے۔ اس صورت میں اس کے تمام پھول میں خود خرید لیتا تھا لیکن وہ اکثر تمام پھول بیچ ہی لیا کرتی تھی البتہ ایک ٹہنی بچا کر ضرور رکھ لیتی تھی جسے وہ "بابو یہ تم لے لو" کہتے ہوئے مجھے دے دیا کرتی تھی انسے خوب احساس تھا کہ میں صرف اس کی خاطر وہاں آکر بیٹھتا ہوں مگر شاید میری ظاہری وضعداری یا کہہ لیجئے کہ شرافت نے اسقدر متاثر کر رکھا تھا کہ وہ نہ تو مجھ سے شرماتی یا لجاتی اور نہ ہی میری موجودگی پر معترض ہوتی۔

میں تقریباً" ہر شام ہی وہاں آیا کرتا تھا۔ میرے ساتھ میرا کتا ٹائیگر بھی ہوتا تھا جو میرے وہاں قیام کے دوران زیادہ تر ندی کے کنارے بیٹھے ہوئے مینڈکوں اور کچھوؤں کے تعاقب میں لگا رہتا تھا بلقیس کے پاس بھی ایک کتا تھا جسکا نام شونار تھا۔ کافی موٹا تازہ اور خوب بدمزاج کتا تھا وہ مجھے ہر روز وہاں بیٹھا دیکھتا تھا مگر پھر بھی مجھ سے مانوس نہ ہوا تھا وہ ہر روز مجھے آتے دیکھ کر نہ صرف اعتراض بلکہ اکثر زوردار احتجاج بھی کیا کرتا تھا تاہم بات احتجاج سے آگے نہ بڑھی تھی جب وہ مجھ پر بھونکتا تو

بلقیس کو بڑا مزہ آتا۔ وہ خوب ہنستی اور ساتھ ہی مڑ مڑ کر شرارتی نظروں سے مجھے تکتی۔ ٹائیگر اور شونار کی بھی آپس میں کبھی نہ بنتی تھی وہ اکثر ایک دوسرے کو دیکھ کر غراتے، ہونٹ سکیڑ کر دانت نکالتے اور شاید ایکدوسرے کے ساتھ گالم گلوچ بھی کرتے۔ کبھی کبھار ان کا زبانی جھگڑا جسمانی جھگڑا بھی بن جاتا۔ ان کی اس لڑائی میں ہمیشہ ٹائیگر ہی جیتتا اور شونار بے چارہ دم دبا کر بلقیس کے قریب جا کر یا چائے والے کی میز کے نیچے جا پناہ لیتا۔ بلقیس یوں تو ہنستی رہتی مگر در حقیقت اسے اپنے کتے کی ہزیمت کا دکھ ضرور ہوتا۔ پھر جوں جوں بلقیس میرے قریب آتی گئی میں اس بات کا بطور خاص خیال رکھنے لگا کہ کتوں کی لڑائی نہ ہو۔ اس احتیاط کے پیش نظر میں ٹائیگر کو زیادہ تر گھر ہی چھوڑ آتا۔ مگر بلقیس کو یہ بات اچھی نہیں لگتی تھی چنانچہ وہ اس پر اظہار ناپسندیدگی ضرور کرتی کہ میں ٹائیگر کو گھر کیوں چھوڑ آیا۔

اب میرا اور بلقیس کا میل ملاپ کوئی ڈھکی چھپی بات نہیں رہ گئی تھی مگر کسی بھی طرف سے اس پر کسی قسم کی ناگواری یا اعتراض کا اظہار ابھی تک نہیں ہوا تھا۔ بلکہ اب تو کتوں کی لڑائی میں بھی کافی کمی آ گئی تھی اور ایک روز تو کمال ہو گیا ہوا یوں کہ ٹائیگر حسب معمول مینڈکوں اور کچھوؤں کے ساتھ کھیلیں کر کے ہانپتا ہوا املی کے پیڑ کی طرف آ رہا تھا کہ ایک طرف سے اچانک ایک طاقتور کتے نے اسے آن دبوچا۔ حملہ اس قدر اچانک اور شدید تھا کہ ٹائیگر بے چارا بے بس سا ہو گیا۔ شونار نے نہ جانے کہاں سے یہ صورت حال دیکھ لی وہ بجلی کی سی تیزی سے آیا اور آن واحد میں حملہ آور کتے پر پل پڑا۔ پھر دونوں نے مل کر اسی کی ایسی گت بنائی کہ وہ چند ہی لمحوں میں بھاگ کھڑا ہوا۔ شونار اور ٹائیگر دونوں نے اس کا دور تک پیچھا کیا اور پھر واپس آ کر املی کے پیڑ تلے یوں ساتھ ساتھ بیٹھ گئے جیسے مشترکہ دشمن کے خلاف کامیاب کاروائی کے بعد مطمئن ہو گئے ہوں۔

بلقیس اس روز بہت خوش نظر آ رہی تھی۔ چائے والا بہاری چاچا بھی خوب ہنس رہا تھا البتہ ہندو پنواڑی جو پہلے ہی اکھڑا اکھڑا نظر آیا کرتا تھا اس روز تو گویا جل ہی گیا۔ وہ ہم سے کوئی بات کرنا تو کجا، آنکھ تک نہیں ملاتا تھا بلکہ مسلسل بڑبڑائے جا رہا تھا۔

اس روز کے بعد کتوں کی باہمی آویزش میں قدرے کمی آ گئی بس کبھی کبھار

یونہی لہو گرم رکھنے کا سامان کر لیتے ورنہ سب ٹھیک ٹھاک رہتا۔ رفتہ رفتہ ہندو پٹواری کا رویہ بھی معمول کے مطابق ہو گیا۔ اور بلقیس...... وہ تو یوں نکھر گئی جیسے موسم بہار کا نوخیز غنچہ۔ ایک روز مجھے کہنے لگی۔

"بابو....... پوسچم پاکستان تو نہیں جاؤ گے نا؟

"جاؤں گا" میں نے کہا "تم چلو گی میرے ساتھ"؟

وہ شرمائی، لجائی پھر بولی

"ہاں چلی جاؤں گی...... مگر......."

"مگر کیا؟......" میں نے پوچھا۔

"پھر واپس ادھر ہی آجائیں گے اپنے بنگال میں۔ یہ بھی تو پاکستان ہی ہے"

وہ شوخی سے بولی اور میں ہنس کر چپ ہو رہا۔

لیکن ایک دن کتوں کی لڑائی پھر ہو گئی اور کافی زبردست ہوئی جس کے اثرات بھی دور رس اور دیرپا ثابت ہوئے اور یہ معمولی سا واقعہ میرے اور بلقیس کے تعلقات میں بھی ایک موڑ ثابت ہوا۔ ہوا یوں کہ شونار اور ٹائیگر میں کچھ تلخ کلامی سی ہوئی اور وہ دونوں بحث کرتے کرتے ندی کے کنارے کی طرف چلے گئے۔ موقع پا کر پنواڑی اٹھا اور ندی کی طرف جانے کے بہانے نیچے کو اتر گیا۔ وہاں اس نے ہماری آنکھ بچا کر ایک پتھر شونار کو کھینچ مارا۔ پہلے تو اس کی چیخ نکل گئی پھر اس نے جھلا کر ٹائیگر کا کان پکڑ لیا اور دونوں کتے لڑتے لڑتے بہاری چاچا کے چائے خانے کی طرف چلے گئے اور اسکی میز الٹا دی۔ جس سے اس کے چائے کے برتن الٹ گئے اور سارا دودھ گر گیا۔ میں نے غصے میں آکر ٹائیگر کی خوب مرمت کی اور اسے لے کر واپس چلا آیا۔

اس واقعہ کے بعد میں ایک دو روز تک وہاں نہ گیا اور جب گیا تو جانے کا کوئی فائدہ نظر نہ آیا۔

بلقیس وہاں نہیں تھی۔ ہندو پنواری آنکھ نہیں ملا رہا تھا اور بہاری چاچا کوئی خاطر خواہ جواب نہ دیتا تھا۔ بس اس نے اتنا کہا کہ آپ یہاں نہ آیا کریں۔ لوگ اعتراض کرتے ہیں۔ کہیں کوئی لفڑا نہ ہو جائے۔

ایک دو روز تو میں اسی مخمصے میں رہا کہ معلوم نہیں کیا ہوا ہو گا۔ پھر رفتہ رفتہ

ادھر جانے لگا لیکن اس طرح کہ وہاں سے گذر کر آگے بڑھ جاتا یا پل پر سے راستہ بدل کر دوسری جانب نکل جاتا۔ بلقیس معلوم نہیں کہاں چلی گئی تھی مگر مجھے یقین تھا کہ یہ صورت حال چند روز سے زیادہ برقرار نہ رہے گی اور ہماری ملاقاتوں کا سلسلہ پھر سے استوار ہو جائے گا لیکن ایسا نہ ہو سکا۔ پھر کچھ ہی روز بعد میرے تبادلے کے احکامات آگئے اور مجھے فوری طور پر مغربی پاکستان آنا پڑا۔

سیاسی حالات تو اس وقت ہی خراب تھے جب میں وہاں تھا۔ اب ان میں زیادہ خرابی کے آثار دکھائی دینے لگے تھے۔ پھر وہ وقت بھی آگیا کہ مغربی پاکستان سے ادھر جانا تو کجا وہاں سے غیر بنگالی لوگ ادھر آنے لگے۔ حالات روز افزوں خراب ہوتے گئے۔ حتیٰ کہ پوربو پاکستان بنگلہ دیش بن گیا۔

میں بنچ پر بیٹھا یہی سوچ رہا تھا کہ کچھ فاصلے سے جہاں کبھی ہماری چاچا کا چائے کا سٹال ہوا کرتا تھا، کسی کے کچھ گنگنانے کی آواز آئی۔ میں نے ذہن پر زور دیا تو کچھ کچھ یاد آیا کہ وہ کوئی بیس پچیس برس قبل کا ایک مقبول بنگالی گیت تھا جس میں اردو الفاظ کی آمیزش بھی تھی۔

"اکھیاں تورے روئے نی ہارے۔ او پردیسی آجا......

او من بسیا آجا"

گیت سن کر مجھ پر گویا بجلی سی گری۔ میں نے چونک کر آواز کی سمت میں دیکھا۔ یہ ایک خستہ حال میلی کچیلی سی عورت تھی جو ندی کے اونچے کنارے پر بیٹھی بالوں میں کنگھی کر رہی تھی۔ اسکے لمبے گھنیرے بال تھے جن میں سفیدی نمایاں تھی۔ وہ دنیاومافیہا سے بے خبر کنگھی کئے جا رہی تھی اور ساتھ ساتھ گنگنا بھی رہی تھی۔ پہلی نظر میں وہ مجھے بہارن لگی۔ میں ابھی پوری طرح اسے دیکھ بھی نہ پایا تھا کہ ندی کے نچلے کنارے کے ساتھ ساتھ دوڑتا ہوا ایک کتا میری نظروں کا مرکز بن گیا۔ وہ غالباً" مینڈکوں وغیرہ کا تعاقب کر رہا تھا۔

"میرا ٹائیگر بھی یہاں آکر یہی کچھ کیا کرتا تھا"۔ میں بڑبڑایا "شاید تمام کتے ہی ایسا کرتے ہوں" ٹائیگر کو مرے ہوئے بلکہ اسے مارے ہوئے بھی کئی سال ہو گئے تھے مگر اسکی ایک ایک حرکت مجھے یاد آ گئی۔ میں نے خود ہی اسے گولی مار کر ہلاک کیا تھا کیونکہ

اس کو مار دینا ہی بہتر تھا۔ وہ کسی پاگل کتے سے لڑا تھا جس کے کاٹے سے وہ پاگل ہو گیا تھا۔ ٹائیگر کا خیال آتے ہی مجھے شونار بھی یاد آگیا۔ میں نے چونک کر کتے کی طرف غور سے دیکھا۔ مگر وہ شونار نہ تھا۔ میں اسے بدستور تکتا رہا۔ اور جب وہ ندی سے واپس اوپر کی جانب آیا تو میں نے اسے چمکارا۔ مگر اس نے میری طرف کوئی خاص توجہ نہ دی۔ میرے پاس بسکٹ تھے۔ میں نے ایک بسکٹ نکال کر اسے دکھایا اور پھر اس کی طرف اچھال دیا۔ مگر پیشتر اس کے کہ وہ بسکٹ کی طرف لپکتا ایک کوا جھٹ سے بسکٹ اٹھا لے گیا اس پر وہ تیزی سے کوے کی طرف لپکا اور املی کے پیڑ کے نیچے کھڑا ہو کر غراتا ہوا کوے کو گھورنے لگا میں نے ایک اور بسکٹ نکالا اور اسے دکھایا مگر وہ بدستور کوے ہی کو گھورتا رہا۔ میں نے اسے پکارنا چاہا مگر میرے منہ سے ''شونار' شونار'' کے الفاظ نکل گئے۔ معلوم نہیں کتا متوجہ ہوا یا نہیں مگر میں نے دیکھا وہ میلی کچیلی سی عورت لاٹھی کے سہارے چلتی ہوئی میری طرف بڑھی چلی آ رہی تھی۔ وہ سیدھی اس بنچ کے قریب آن کھڑی ہوئی جہاں میں بیٹھا تھا۔ مجھے اس نتیجے پر پہنچنے میں کوئی دقت محسوس نہ ہوئی کہ وہ اندھی ہے مگر اگلے ہی لمحے میں لرز کر رہ گیا۔ یہ بلقیس تھی۔ شوخی' شرارت' نکھار اور چنچل پن سب کچھ جیسے کبھی اس میں تھا ہی نہیں۔ خوبصورت سپاٹ مہتابی چہرہ بے رونق اور مدھ بھری اٹھکھیلیاں کرتی ہوئی آنکھیں بے نور تھیں۔ اسے کچھ بھی نظر نہیں آتا تھا۔ میں اسے پہچان گیا تھا لیکن سب کچھ جانتے ہوئے بھی چپ ہو رہا۔

''تمی کے'' (تم کون ہو) وہ بولی۔

''مانوش'' (انسان) میں نے کہا۔ میں اب بھی بنگلہ اچھی طرح بول اور سمجھ لیتا تھا۔

''ایکھانے کی کورو'' (یہاں کیا کر رہے ہو)

''بوشے چھی'' (بیٹھا ہوں) میں نے بے نیازی سے جواب دیا۔

''تمی امار کو کور کے کی بولو'' (تم نے میرے کتے کو کیا کہا)

''کیچھو نیں'' (کچھ نہیں) میں نے پھر بے نیازی سے جواب دیا۔ اس دوران میری نظریں اسکے تباہ حال چہرے اور جسم پر مسلسل گردش کرتی رہیں۔

"تمی جانو ایرنام کی" (تمہیں پتہ ہے اس کا نام کیا ہے)

"شونار" میں نے جان بوجھ کر کہا۔

"شونار نیں" وہ یوں ہنسی جیسے میرا مذاق اڑا رہی ہو۔ پھر بولی۔

تمی کھوب پاگل...... ایئی شونار نیں۔ جانی نیں شونار تو مورے گئے چھے...... پاگول"

(تم بالکل پاگل ہو۔ یہ شونار نہیں ہے جانتے نہیں شونار تو مر چکا ہے۔ پاگل)

"ایرنام کی" (اسکا نام کیا ہے) میں بات آگے بڑھانے کے لئے کہا۔

"ایرنام ٹائیگر (اسکا نام ٹائیگر ہے)

"ٹائیگر" میرے منہ سے حیرانی سے نکلا۔

ہاں...... ٹائیگر ٹائیگر...... تمی شنو نیں...... پاگل" (ہاں ہاں ٹائیگر۔ تم سنتے نہیں پاگل) میں نے محسوس کیا کہ اس کا رویہ سخت ہو گیا تھا اور وہ شدت جذبات سے کانپ رہی تھی اور ساتھ ساتھ بڑبڑا رہی تھی۔ "شونار...... ٹائیگر...... پاگول"

وہ واپس ندی کی جانب مڑ گئی۔ جاتے جاتے ایک بار رک کر اس نے پیچھے، مڑتے ہوئے کچھ کہا۔ جو مجھے سمجھ نہ آیا۔ اور وہ کچھ کہتے کہتے ندی کا ڈھلوان کنارا اترنے لگی۔ میں خاموش بیٹھا اسے تکتا رہا۔ میں ابھی مختلف خیالات میں الجھا ہوا اسے دیکھ ہی رہا تھا کہ اچانک ندی کی نچلی طرف سے ایک بہاری یوں آن وارد ہوا جیسے زمین میں سے اگ آیا ہو۔ مجھے دیکھ کر السلام علیکم کہتے ہوئے میرے پاس آ کھڑا ہوا اور کہنے لگا۔

"صاحب برا نہیں ماننا۔ یہ لڑکی بے چاری پاگل ہے"

"نہیں نہیں برا کیا ماننا"۔ میں نے کہا "وہ تو نظر ہی آ رہا ہے کہ پاگل ہے۔ مگر یہ ہے کون"

یہ ایک لاوارث لڑکی ہے صاحب۔ پھول بیچا کرتی تھی یہاں۔ اس پر بہت ظلم ہوا۔ مکتی باہنی والوں نے اسے مارا پیٹا۔ بے عزت کیا۔ اسکے گھر کو آگ لگا دی۔ اس میں اس کے چھوٹے چھوٹے بہن بھائی تھے' ماں تھی۔ سب جل کر مر گئے۔ یہ بے چاری روتے روتے اندھی ہوئی گئی۔ پھر پاگل ہوئی گئی اب یہ بے چاری۔ یہیں پڑی

رہتی ہے" بہاری نے جلد جلد اس کی کہانی کہہ ڈالی۔

"کیوں...... یہ بہاری ہے کیا" میں نے سب کچھ جانتے ہوئے بھی انجان بنتے ہوئے کہا۔

"نہیں جی" بہاری بولا "بنگالن ہے۔ ایک پچھمی پاکستانی بابو سے پیار کرتی تھی۔ اسکا تبادلہ ہو گیا۔ پھر گڑ بڑ سروع ہوئے گیا۔ وہ ناہیں آیا۔ یہ ہر وقت پاکستان پاکستان بولتی رہتی تھی اسی بات پر اس کی سامت آگئی۔ اسکا گھر باڑی سب ختم ہوئے گیا"

"اوہو...... مگر اس پچھمی پاکستانی کا بھی کچھ پتہ چلا" میں نے نہایت عیاری سے کام لیتے ہوئے کہا۔

"کیا پتا جی جندہ ہے یا مرگیا۔ پھر سے ناہیں آیا اور پھر یہ پاکستان والے ہم لوگوں کا حال پوچھتے بھی کب ہیں۔ یہ ہم ہی ہیں بابو جی ابھی تک پاکستان پاکستان کرتے ہیں۔ دو نسلیں اسی جیل میں سڑ گئیں مگر کوئی پوچھے ناہیں ہے۔ یہی حال اس بے چاری کا ہے۔ اندھی ہے پاگل ہے مگر ہر وقت اس بابو کو یاد کرتی رہتی ہے۔ بولتی ہے پاکستان جاؤں گی اس بابو کے پاس"۔

بہاری ابھی بات مکمل بھی نہ کر پایا تھا کہ اندھی اور پاگل بلقیس تیز تیز چلتی ہوئی پھر آن دھمکی وہ اس قدر اچانک آئی تھی کہ میں اور بہاری دونوں چونک کر رہ گئے اور حیرانی سے اسے دیکھنے لگے۔

"ہاں ہاں جاؤں گی پاکستان۔ جرور جاؤں گی" اب وہ اردو میں بات کر رہی تھی "اپنے بابو کے پاس جاؤں گی۔ اسے مناؤں گی۔ پوچھوں گی اب کاہے کو روٹھے ہو رے۔ شونار مرگیا' ٹائیگر مرگیا۔ دونوں مرگئے۔ نہ لڑتے تو ہمارا بابو ہم سے نہ روٹھتا۔ ہمارا دیش نہ ٹوٹتا۔ میں جاؤں گی ادھر...... جا رہی ہوں ...... دیکھوں گی مجھے کون روکتا ہے"

وہ نہایت جوش کے عالم میں یہ کہتی ہوئی سڑک کی طرف چلی گئی اور سڑک کے کنارے ایسے کھڑی ہو گئی جیسے بس کے انتظار میں ہو۔ میں خاموش کھڑا اسے بے بسی سے تک رہا تھا۔ ایک لمحے کی خاموشی کے بعد بہاری نے سکوت توڑا۔

"پاگل ہے جناب" وہ ہنستے ہوئے بولا۔ "بھلا کتوں کی لڑائی سے ملک بھی ٹوٹتے ہیں"۔

بھینسا

یہ بھینسا ایک ایسے ادارے نے پالا ہوا تھا جو جانوروں کی دوائیاں بناتا تھا۔ نیز وہاں جانوروں کی بیماریوں پر تحقیق اور تجربات کے علاوہ اچھی نسل کے جانوروں کی افزائش کا کام بھی ہوتا تھا۔ یہ بھینسا ان سب کاموں میں استعمال میں لایا جاتا تھا بلکہ اکثر کاموں میں نہایت اہم سمجھا جاتا تھا۔ بہت سی دوائیوں میں استعمال کے لئے اس کا خون بھی لیا جاتا تھا جس کے پیش نظر اس کی دیکھ بھال اور خاطرمدارات ادارے میں رکھے ہوئے دوسرے جانوروں کی نسبت زیادہ ہوتی تھی۔ اسے خصوصی خوراک دی جاتی اور اسکی صحت کا ہر طرح سے خیال رکھا جاتا تھا۔ شاید اسی وجہ سے یہ بھینسا بہت تند خو اور سرکش ہو گیا تھا۔ طاقتور اور تنومند تو وہ تھا ہی۔ عادتیں بگڑنے کے باعث وہ دو آتشہ بن گیا تھا اور اب نوبت یہاں تک پہنچ گئی تھی کہ وہ اپنے ساتھ باڑے میں موجود جانوروں کو اکثر شدید زخمی کر دیتا تھا بلکہ جانوروں کی دیکھ بھال پر مامور عملے کو بھی آنکھیں دکھاتا تھا اور اس کے قریب جاتے وقت عملے کو بہت احتیاط کرنا پڑتی تھی۔

یہ بھینسا بہت ہی منفرد نسل کا تھا۔ افزائش حیوانات کے دوسروں اداروں میں اسکی مثال دی جاتی تھی۔ اس لئے ادارہ اس کے تمام ناز نخرے برداشت کرنے پر مجبور تھا۔ پھر ایک روز کیا ہوا کہ اس نے نہ جانے کس طرح باڑے کی دیوار پھلانگ لی اور باہر بندھی ہوئی ایک گائے اور ایک بھینس کو تختۂ مشق ستم بنایا۔ عملے کا آدمی اسے قابو کرنے گیا تو اس نے اسے بھی سینگوں پر اٹھا کر زمین پر پٹخ دیا۔ بہت سے آدمیوں نے مل کر اسے گھیرا اور واپس باڑے میں لائے۔ باڑے کے گرد حفاظتی اقدامات سخت کر دیئے گئے اور اسکی کڑی نگرانی ہونے لگی مگر وہ تھا کہ ہر روز کوئی نہ کوئی نیا گل کھلا دیتا تھا۔ اس پر عملے کے افراد نے ادارے سے مطالبہ کیا کہ اس کا کوئی مستقل علاج تلاش کیا جائے اور تجویز یہ دی کہ اسکی ناک چھید کر اس میں لوہے کا مضبوط کڑا ڈال دیا جائے تاکہ جونہی اس کا مزاج بگڑنے لگے فوراً" اسے قابو کر کے کڑے میں زنجیر ڈال

کر اسے باندھ دیا جائے۔ انتظامیہ کو یہ تجویز بہت پسند آئی اور عملدر آمد کا حکم مل گیا۔

بھینسے کی ناک میں نکیل ڈالنے کی تجویز تو بڑی معقول تھی مگر سوال یہ تھا کہ یہ کام ہو گا کیسے۔ ایک خود سر، تند خو، طاقتور حیوان قابو کیسے آئے گا۔ اس سلسلے میں ایک تجویز تو یہ تھی کہ جس طرح اس کا خون لینے کے لئے اسے تنگ سے کمرے میں لایا جاتا ہے اور مزیدار چارہ ڈال کر ڈاکٹر بڑی مہارت اور چابکدستی سے ٹیکے کی موٹی سوئی اس کی گردن میں پیوست کر دیتا ہے۔ جس کے ساتھ بعد ازاں سرنج اور ٹیوب منسلک کر کے مطلوبہ مقدار میں خون حاصل کر لیا جاتا ہے۔ ویسی ہی کوئی ترکیب بروئے کار لائی جائے اور اس کے نتھنوں کی درمیانی دیوار کے نرم گوشت دار حصے میں تیز نوک کا موٹا کڑا ڈال دیا جائے۔ مگر مشکل یہ تھی کہ یہ کڑا تھا کوئی سوئی نہ تھی۔ اس کی تکلیف بھینسے کو بہر حال ہونا تھی نیز کڑا کھول کر ڈالا جانا تھا جسے بعد ازاں دبا کر اس کے دونوں سروں کو ملا کر بند بھی کرنا تھا اور بھینسے نے یہ کام کرنے کی کبھی اجازت نہیں دینی تھی۔ دوسری صورت یہ ہو سکتی تھی کہ اسے نشہ آور چیز کھلا کر یا پلا کر یا ٹیکہ لگا کر بے ہوش کر دیا جائے اور ناک میں چھلا ڈال دیا جائے۔ یہ تجویز قابل عمل نظر آئی اور اس پر کام شروع ہو گیا۔

نشے میں مدہوش بھینسا سکڑ کر ایک جانب کھڑا ہو گیا۔ اس دوران نگران عملہ اسے چپ چاپ دیکھتا رہا یا شاید ڈرتا رہا۔ اس طرح کافی دیر ہو گئی۔ اب خدشہ لاحق ہو گیا کہ کہیں بھینسے کا نشہ اتر نہ جائے۔ اس پر ایکا ایکی سب باڑے میں گھس گئے اور ایک دلیر آدمی نے کڑے کی تیز نوک بھینسے کی ناک میں ٹھونک دی۔ بھینسے نے سر کو ہلکی سی جنبش دی اور پھر چپکا کھڑا ہو گیا۔ لیکن جیسے ہی چھلے کے موٹے حصے کو آگے دھکیلا گیا۔ بھینسے نے سر کو زوردار طریقے سے ہلایا۔ اگلے ہی لمحے اسے جیسے ہوش آگیا ہو۔ اس نے ہوشیار ہو کر ادھر ادھر دیکھا۔ سر کو دو تین زور دار جھٹکے دیئے اور کڑا ناک سے نکال کر دے مارا۔ خون بہہ کر اس کے منہ تک آگیا تھا۔ اس نے زبان سے چاٹا اور لگا اگلے کھر سے زمین کریدنے۔ تمام ملازم بھاگ اٹھے اور باڑے کا دروازہ کھول کر نکل گئے۔ بھینسا بھی پیچھے ہی نکل آیا۔ آزاد ہوتے ہی اس نے دو زور دار بڑھکیں لگائیں اور ایک دوڑتے ہوئے شخص کو سینگوں پر اٹھا کر دور باڑھ کے اوپر پھینک دیا۔

پورے ادارے میں تہلکہ مچ گیا کہ بھینسا مست ہو گیا' بھینسا باغی ہو گیا' دوڑو بھاگو کی آوازیں دور و نزدیک سے سنائی دے رہی تھیں۔ بچے دوڑ کر گھروں میں دبک گئے چوکیدار سب چھپ گئے۔ دندناتا ہوا بھینسا سارے دفتر کا جیسے مالک بن گیا ہو۔ وہ پورے جوش و جذبے سے مارچ کرتا ہوا سیدھا ڈائریکٹر جنرل کے بنگلے میں آن گھسا۔ تمام پھول پودے رگیدتا ہوا برآمدے کے سامنے آن کھڑا ہوا۔ بنگلے کے دروازے بند کر دیئے گئے اور تمام لوگ گھر میں محصور ہو گئے حتی کہ بچوں کو پڑھانے کے لئے آنے والے ٹیوٹر بھی اندر بند ہو کر رہ گئے۔ اب ہر طرف بھینسے کی حکمرانی تھی۔ رات بھر وہ ڈکراتا اور دندناتا پھرتا رہا کسی کو جرات نہ ہوئی کہ اس کے قریب جانا تو کجا اس کی نظروں کے سامنے سے بھی گذر سکے۔ صبح ہوئی تو ادارے کا مین گیٹ کھول دیا گیا اور بھینسا باہر نکل کر سڑک پر آگیا۔

سڑک پر آتے ہی اس نے اپنی موجودگی منوا لی۔ راہگیر' سائیکل سوار' موٹر سائیکل والے حتی کہ ویگنیں اور بسیں تک اس کے غیض و غضب کا نشانہ بنیں۔ پھر وہ آبادی کی طرف نکل گیا اور ہر طرف سراسیمگی پھیلا دی۔ کسی کو کچھ سمجھ نہ آتا تھا کہ کیا کیا جائے۔ ایک تجویز تھی کہ پولیس کو بلوا کر اسے گولی مروا دی جائے مگر بزرگ اور دانا لوگوں کے نزدیک بھینسے کے ساتھ پولیس مقابلہ بہتر نہیں تھا۔ ویسے بھی حلال چیز کو حرام موت مارنا اچھی بات نہیں لہٰذا عقلمندی یہی سمجھی گئی کہ اسے کسی طرح گھیر گھار کر یا رام کر کے واپس باڑے میں لے جایا جائے چنانچہ اسی تجویز پر غور شروع ہو گیا۔

اس علاقے میں جہاں یہ ادارہ واقع تھا دو قصائیوں کا بڑا شہرہ تھا۔ ایک کو بدرو کہا جاتا تھا دوسرے کا نام اسماعیل تھا۔ بدرو کے بارے میں مشہور تھا کہ وہ ہر طرح کا جانور ذبح کر لیتا ہے۔ مردہ ہو یا زندہ نیز یہ کہ جانور کتنا بھی سرکش کیوں نہ ہو اسے قابو کر لینا اور ڈھا لینا بدرو کو خوب آتا تھا۔ لوگوں کو بخوبی علم تھا کہ بدرو مردار تک لوگوں کو کھلا دیتا ہے پھر بھی لوگ اس کے چکر میں آ جاتے تھے اور اس سے گوشت خرید لیتے تھے۔ وہ بڑی فراخ دلی سے ادھار بھی دے دیا کرتا تھا۔ اسماعیل مردار گوشت تو نہیں بیچتا تھا مگر اس کے متعلق یہ ضرور سنا تھا کہ وہ کچھ کا کچھ بنا کر لوگوں کو کھلا دیتا ہے۔ یعنی بچھڑا

کہہ کر بوڑھی گائے یا بیل اور بھینس کہہ کر اونٹ۔ ایک دفعہ یہ بھی مشہور ہوا کہ اس نے گائے کے نام پر گدھا لوگوں کو کھلا دیا۔ ان دونوں قصابوں کے کارہائے نمایاں شاید لوگوں کے سامنے نہ آتے اگر وہ بدقسمتی سے آمنے سامنے دکانیں نہ لے لیتے۔ کاروباری رقابت آخر رنگ لے آئی۔ دونوں ایک دوسرے کی ضد میں گوشت سستا کرتے گئے اور لوگوں نے خوب عیش کی پھر جب ایک دوسرے کو نیچا دکھانے کا یہ طریقہ بے کار نظر آیا تو دونوں نے پراپیگنڈہ اور کردار کشی کا حربہ استعمال کرنا شروع کر دیا۔ بدرو نے دکان پر لاؤڈ سپیکر لگا لیا اور دن بھر مقبول عام گیتوں کے ریکارڈ بجائے جاتے رہے درمیان میں سستے گوشت کی خوشخبری کے ساتھ ساتھ "حرام گوشت" سے بچیے۔ گدھا کھلانے والوں سے ہوشیار رہیے کا اعلان نشر ہوتا رہتا۔

ادھر اسماعیل نے ڈھول والے کا انتظام کیا۔ وہ خود بھی بھنگڑا ڈالتا اور شوقین لڑکوں سے بھی بھنگڑا ڈلواتا۔ ساتھ ساتھ لوگوں کو خبردار کرتا کہ مردار گوشت بیچنے والوں کی باتوں پر کان نہ دھریں۔ یہ صورت حال کئی روز جاری رہی۔ آخر اہل محلہ تنگ آ گئے اور اس بات پر متفق ہو گئے کہ دونوں میں سے کسی سے گوشت نہ خریدا جائے۔ صورت حال کا فائدہ ایک تیسرے قصاب نے اٹھایا اور لوگ اس سے گوشت خریدنے لگے۔ بدرو اور اسماعیل دونوں کچھ روز تو انتظار کرتے رہے آخر دونوں کی دکانیں بند ہو گئیں اور وہ کہیں اور جا کر کاروبار کرنے لگے۔

بھینسے سے چھٹکارے کی کوئی اور صورت نظر نہ آئی تو کسی نے رائے دی کہ بدرو سے رابطہ قائم کیا جائے کیونکہ وہ باغی جانوروں کو رام کرنے کا ماہر سمجھا جاتا تھا۔ کچھ غوروخوض کے بعد رائے عامہ اس تجویز کے حق میں ہو گئی۔ بدرو کو پتا چلا تو وہ چپکے سے کہیں کھسک گیا۔ اسماعیل کے پاس گئے تو اس نے اپنی ضعیف عمر کا بہانہ بنا کر جان چھڑا لی۔ اس شک کا اظہار بھی کیا جا رہا تھا کہ چونکہ بدرو اور اسماعیل اپنے تعلقات بہتر بنا چکے ہیں لہٰذا بدرو اسماعیل کے اشارے پر ہی روپوش ہوا ہے۔ جب لوگ تیسرے قصائی کے پاس گئے تو اس نے کہہ دیا کہ وہ تو ناتجربہ کار ہے۔ گوشت کسی سے تلوا کر لاتا ہے اور پرچون بیچ کر اپنی روزی کماتا ہے۔ اس طرح وہ بھی پہلو بچا گیا۔

اس دوران بھینسا اپنی طاقت و مستی کے نشے میں چور تمام عواقب و عواقب سے

بے نیاز راہگیروں اور مسافروں کو اپنے غیض و غضب کا نشانہ بناتا ہوا قریبی آبادی میں گھس آیا۔ اور پھر اسی ترنگ میں گھومتا پھرتا گنجان آباد علاقے میں داخل ہو گیا۔ یہاں وہ منچلے نوجوانوں اور نو عمر لڑکوں کی تفریح طبع کا سامان بن گیا۔ وہ مکانوں کی چھتوں سے اسے پتھر مارتے اور چھیڑتے یا گلی کی نکڑ پر کھڑے ہو کر اسے بلاتے اور جب وہ ناک پھلا کر، گردن اکڑا کر دم کو لہراتے ہوئے ان کی طرف بھاگتا تو وہ یا تو اچانک گھروں میں داخل ہو جاتے یا کسی تنگ بغلی گلی میں روپوش ہو جاتے۔ اب اللہ جانے کہ یہ اتفاقی امر تھا یا کسی نے باقاعدہ منصوبے کے تحت ایسا کیا تھا کہ چند نوجوانوں نے بھینسے کو ستایا اور حملہ کرنے پر اکسایا اور جب وہ ان کی طرف لپکا تو وہ ایک ایسی تنگ گلی میں داخل ہو گئے جہاں سے آگے کا راستہ صرف ایک آدمی کے لئے تھا۔ بھینسے کا اس میں سے گزرنا ممکن نہ تھا۔ بھینسا بلا سوچے سمجھے تنگ گلی میں داخل ہو گیا۔ گلی کا کشادہ حصہ فوراً ہی دو ریڑھے کھڑے کر کے بند کر دیا گیا اور بھینسا گلی میں مقید ہو گیا۔ اس پر لوگوں نے عافیت کا سانس لیا۔ ایک بزرگ نے مشورہ دیا کہ اسے اب چھیڑا نہ جائے بلکہ اسی تنگ گلی میں اسے رہنے دیا جائے نیز اسے کھانے پینے کو کچھ نہ دیا جائے تاکہ یہ کمزور ہو جائے اور اسکا مالک ادارہ اسے با آسانی نتھ ڈال سکے۔ تجویز کو سراہا گیا اور گلی کا راستہ اچھی طرح بند کر کے بھینسے کے فرار کے امکانات بالکل ختم کر دیئے گئے۔

بھینسے کو تنگ گلی میں آئے ہوئے دو تین روز ہو گئے تھے۔ بھوکا پیاسا ہونے کے باعث اس میں قدرے نقاہت آ گئی تھی مگر وہ اب بھی قابو میں آنے والا نہ تھا۔ اس کے مالک ادارے نے پروگرام بنایا کہ اگلے روز علی الصبح اسے چارے میں نشہ آور دوا کھلا دی جائے اور پھر اس کی ناک میں نکیل ڈال دی جائے۔ مگر اگلی صبح ابھی ادارے کے کارکن وہاں آئے بھی نہ تھے کہ بدرو اور اسمٰعیل دونوں وہاں پہنچ گئے۔ دونوں کے پاس اپنے اپنے اوزار تھے۔ بدرو لوگوں کو قائل کر رہا تھا کہ بھینسے سے نجات حاصل کرنے کے لئے اس کا ذبح کر دینا ہی بہتر ہے اور اس کام کے لئے یہی مناسب وقت ہے جبکہ ادارے کے اہل کار اس تجویز سے متفق نہ تھے اور وہ اسکی ناک میں نکیل ڈالنے پر ہی اصرار کر رہے تھے جبکہ اسماعیل کے پاس ایک نئی تجویز تھی۔ وہ

کہتا تھا کہ اسے نہ تو ذبح کیا جائے نہ اسے نکیل ڈالی جائے بلکہ اسے محفوظ طریقے سے پالنے کا واحد مناسب طریقہ یہ ہے کہ اسے خصی کر دیا جائے اور یہ کہ وہ اس مقصد کے لئے ضروری اوزار ساتھ لے کر آیا ہے۔

سنا ہے بھینسا اب بھی اسی تنگ گلی میں کھڑا ہے اور گلی کا کشادہ حصہ بند ہے جبکہ تنگ حصے سے منچلے نوجوان اور نو عمر لڑکے اسے اپنی حسن ظرافت کی تسکین کا ذریعہ بنائے ہوئے ہیں۔ ادھر مالک ادارے کا اہل کار نشہ آور چارا اور ناک چھیدنے کا سامان لئے آئے بیٹھے ہیں جبکہ بدرو اور اسماعیل آپس میں ویسے ہی جھگڑ رہے ہیں جیسے وہ گوشت بیچتے وقت جھگڑ رہے تھے۔ ایک کہتا ہے کہ بھینسے کو ذبح کرنا ضروری ہے دوسرے کا کہنا ہے کہ اسے خصی کر دینا کافی ہے۔ دیکھئے بھینسے کا کیا بنتا ہے۔

حسِ ظرافت

مہر صاحب کی کپاس ٹینڈوں تک آ گئی تھی اور کسی بھی کیڑے پتنگے کے حملے سے قطعی محفوظ تھی مہر صاحب اس کامیابی پر پھولے نہ سماتے تھے۔ اُنھوں نے اپنی فصل کو بچانے کے لئے بہت مہنگی دوائیاں استعمال کی تھیں لیکن نہ جانے اُنھیں یہ خیال کیوں رہتا تھا۔ کہ امریکن سُنڈی کو مارنے کے لئے امریکہ ہی سے دوا آنی چاہئے۔ چنانچہ وہاں سے بھی دوائیں منگوا کر سپرے کروایا گیا۔ نتیجہ یہ نکلا کہ اُن کی فصل سبز اور سیاہ تیلے، سفید مکھی، گلابی سُنڈی، چتکبری سنڈی اور سب سے بڑھ کر یہ کہ امریکی سنڈی کے حملے سے محفوظ تھی۔ حالانکہ یہی وہ حشرات تھے جو گزشتہ سالوں میں کبھی یکے بعد دیگرے اور کبھی اجتماعی طور پر ایک ہی وقت میں اُن کی ایکڑوں پر محیط فصلوں کو تباہ کر کے رکھ دیا کرتے تھے۔ اسی باعث اُنھوں نے کپاس کی فصل ترک کر دی تھی اور اب کئی برسوں بعد دوبارہ شروع کی تھی۔

مہر صاحب متمول زمیندار تھے۔ وہ ہر سال محض اس لئے کپاس کاشت کر لیا کرتے تھے کہ اُن کی زمین قدرتی طور پر اس علاقے میں تھی جو کپاس کی کاشت کا علاقہ تھا۔ پھر جب چھوٹے موٹے زمیندار اور عام کسان ان کیڑوں کے حملے کے خطرے کے باوجود ہر سال کپاس بوتے تھے۔ اور تقریباً ہر سال ہی نقصان اُٹھاتے تھے۔ تو مہر صاحب جیسا خوشحال زمیندار بھلا کپاس کے کاشتکار کے طور پر اپنی شناخت کیسے کھو دیتا۔ وہ ہر سال کپاس لگواتے، ہر سال احتیاطی تدابیر استعمال کی جاتیں۔ ہر سال ہی دوائیں استعمال ہوتیں۔ مگر کیڑے پھر بھی آ جاتے۔ اُن پر سپرے کرایا جاتا۔ محکمہ زراعت کا عملہ اپنی سی کوشش کرتا۔ مہر صاحب باہر سے بھی دوائیں منگواتے۔ مگر نتیجہ حسب توقع نہ نکلتا۔ سب سے زیادہ تباہی امریکن سُنڈی مچاتی۔ باقی کا کام سفید مکھی اور چتکبری سنڈی کر ڈالتی۔ ''سائیں اور کیڑوں کا علاج تو ہو جاتا ہے۔ مگر اس امریکن سنڈی کا کچھ نہیں بگڑتا''۔ مہر صاحب اپنے ملنے جلنے والوں سے کہتے اکثر سنائی دیتے۔ اگر باز بلوچ وہاں ہوتا تو وہ ترت جواب دیتا۔

سائیں بگڑ بھی کیسے سکتا ہے۔ آخر سپر طاقت سنڈی ہے''۔

سننے والے سب ہنس پڑتے۔ یاز خان بلوچ بڑا ہی بذلہ سنج اور حاضر جواب آدمی تھا۔ لوگ اُس کی باتوں اور چٹکلوں کا لطف اُٹھاتے تھے۔

"مگر یاز سائیں...... یار یہ تو بتلاؤ کہ یہ امریکن سنڈی آتی کہاں سے ہے"۔

"امریکہ سے اور کہاں سے یاز جھٹ جواب دیتا۔

"لیکن کیسے بھئی"؟

"سفید مکھی پر بیٹھ کر" وہ ہنستے ہوئے بڑے پراعتماد طریقے سے کہتا۔ "سائیں یہ سفید مکھی اور امریکن سنڈی ایک ہی ذات ہیں۔ بالکل ویسے ہی جیسے امریکی اور انگریز۔"

یہ سوال اس سے ہمیشہ ہی پوچھے جاتے۔ اور وہ ہمیشہ یہی جواب دیتا مگر اُس کا بات کرنے کا انداز ہی کچھ ایسا تھا۔ کہ پوچھنے والوں کی دلچسپی کبھی کم نہ ہوتی۔ وہ ایک بات اور بھی کہتا۔ کہ اگر چتکبری سنڈی فصل کو نہ پڑے تو امریکن سنڈی کبھی نہیں پڑ سکتی۔ اللہ جانے یہ اُس کا فلسفہ تھا یا مشاہدہ، مگر وہ اس موقف پر سختی سے قائم ضرور تھا۔ بعض لوگ تو اس کی اس بات پر ہنس پڑتے مگر بعض سنجیدہ طبع لوگ اس کی بات سن کر لمحہ بھر کو سوچ میں پڑ جاتے۔ کبھی کوئی من چلا بات کو آگے بڑھانے کے لئے پوچھ لیتا۔

"بلوچ سائیں یہ تو بتاؤ کہ چتکبری سنڈی کیا بلا ہے"؟

"یہ امریکی اور دیسی سنڈی کی اولاد ہے بابا" وہ مسکراتے ہوئے جواب دیتا "وہ تم نے میرے پرائمری سکول کے استاد صاحب، معلوم نہیں بے چارے مر گئے کہ ابھی زندہ ہیں اور ہیں تو کہاں ہیں ان کا شعر نہیں سنا...... لو میں سناتا ہوں۔

"عدو کی ماں ہے گوری اور خاوند اس کے کالے ہیں
اسی باعث تو اس نے ابلقی بچے نکالے ہیں"

یاز بلوچ کی ان باتوں کا اپنا ہی ایک لطف تھا اسی وجہ سے اس سے یہی سوالات ہمیشہ پوچھے جاتے اور وہ ان کے یہی جوابات دیتا۔ پھر بھی ان کی دلچسپی میں کبھی کمی واقع نہ ہوتی۔

مہر صاحب کا ایک ہی بیٹا تھا جسے وہ زراعت کی اعلٰی تعلیم دلانا چاہتے تھے۔ اس مقصد کے لئے انہوں نے اسے چین، جاپان، روس اور امریکہ سمیت نہ جانے کہاں کہاں بھیجا۔ یہ لڑکا پڑھ کر واپس آیا تو اس نے باپ کی کاشتکاری میں دلچسپی لینا شروع کر دی۔ مٹی کا تجزیہ کرایا، نئی نئی کھادیں متعارف کرائیں، اچھے اور مہنگے بیجوں کا انتخاب کیا، موثر اور مہنگی کرم کش ادویات استعمال کیں، بعض دوائیں امریکہ سے منگوائیں۔ نتیجہ یہ نکلا کہ مہر صاحب کی فصلیں اگتیں اور چاندی بن جاتیں

جبکہ آس پاس کے کاشتکار حسرت بھری نظروں سے انہیں تکتے رہتے یا جل بھن کر یہ کہہ دیتے کہ مہر صاحب کو امریکہ دوستی راس آ گئی ہے۔

مہر صاحب خوش تھے کہ ان کا بیٹا ان کی زمینوں کی خوب دیکھ بھال کر رہا ہے۔ خاص طور پر اس نے کیڑوں کا تدارک بڑی مہارت اور خوش اسلوبی سے کیا ہے، مگر ان کا بیٹا صرف زمینداری اور زراعت ہی کو اپنا مقصد زندگی بنا کر نہیں بیٹھ گیا تھا۔ اس کی نیت اور ارادے ایک دور دراز علاقے کی پر صعوبت زمینداری سے کہیں بلند تھے وہ بیرون ملک خصوصاً امریکہ میں اپنے دوستوں اور سابقہ ہم مکتب ساتھیوں اور اساتذہ سے خط و کتابت کا سلسلہ پیہم رکھتا تھا۔ دو ایک غیر ملکی ماہرین زراعت ان کے ہاں آ کر مہمان بھی رہے تھے۔ وہ ان سے فصلوں کی بیماریوں اور کیڑے مار ادویات کے بارے میں تازہ معلومات تو حاصل کرتا ہی تھا، ساتھ ساتھ زراعت میں اپنے تخصص کے حوالے سے عالمی اداروں میں ملازمت کے بارے میں بھی جانکاری لیتا رہتا تھا۔ آخر اس کی کاوشیں رنگ لے آئیں اور ایک امریکی کے توسط سے اسے ایک بین الاقوامی زراعتی ادارے میں بہت اچھی ملازمت مل گئی۔ مہر صاحب پہلے تو لڑکے کے ارادوں میں مزاحم ہوئے مگر ڈھیروں ڈالر گھر آنے کی امید پر راضی ہو گئے۔ لڑکا جہاں بھی جاتا وہاں کے زرعی مشاہدات کے بارے میں باپ کو ضرور باخبر رکھتا۔ ساتھ ساتھ ڈالر بھی بھیجتا۔ مہر صاحب کی تجوریاں بغیر کاشتکاری کی آمدنی کے بھری جا رہی تھیں پھر بھی وہ کپاس کی کاشت ضرور کراتے کہ یہ علاقے کی روایت تھی، وہاں کے تمدن کا حصہ تھا۔ مہر صاحب اپنی فصل کی حفاظت کے سلسلے میں اپنے بیٹے کے تجربات سے مسلسل فائدہ اٹھاتے تھے۔ ٹیلیفون اور ڈاک کے ذریعے اس سے ضروری مشورے حاصل کیے جاتے تھے تاہم تمام اقدامات کے باوجود مہر صاحب وہ کچھ نہ کر سکتے تھے جو ان کا بیٹا کر سکتا تھا۔ وہ تن تنہا سبز و سیاہ تیلے سفید مکھی چتکبری سنڈی، گلابی سنڈی اور خاص طور پر امریکن سنڈی کا مقابلہ نہیں کر سکتے تھے چنانچہ انہوں نے کپاس کی کاشت محدود کر دی اور بالآخر چھوڑ دی۔ بیٹے کی فراہم کردہ معلومات کی بدولت مہر صاحب کے ذاتی علم کا خزانہ خاصا وسیع ہو گیا تھا اب وہ بڑے اعتماد سے عالمی حالات پر بات چیت کر لیتے تھے خاص طور پر امریکن سنڈی کے بارے میں بڑی جانکاری دیتے۔ وہ اپنے ساتھی کاشتکاروں کو خبردار کرتے رہتے کہ یہ کیڑا دوسرے تمام کیڑوں سے زیادہ ضرر رساں ہے اور اس سے بچاؤ بہت ضروری ہے وہ اپنی بات چیت میں ویتنام، کوریا، لاؤس، کمبوڈیا، فلسطین، لبنان اور عراق میں امریکن سنڈی کی تباہ کاریوں کی مثالیں دیتے ہوئے بعض اوقات ایسے ممالک کا ذکر بھی کر جاتے جن کا نام بھی دوسروں نے کبھی نہ سنا ہوتا مثلاً پاناما،

ارجنٹائن، چلی بولیویا، ہیٹی وینزویلا، ال سلویڈور اور ڈومینکن۔ اسی بنا پر باز بلوچ انہیں اکثر مذاقاً پوچھا کرتا تھا "سائیں مہر صاحب..... بھلا بتاؤ تو سہی کہ امریکن سنڈی اب کہاں تک پہنچی ہے" مہر صاحب کبھی تو جواب دے دیتے اور کبھی "پتہ نہیں" کہہ کر ٹالنے کی کوشش کرتے۔ مگر باز کب ٹلنے والا تھا جھٹ گرہ لگا دیتا۔

"اچھا چلو لڑکے سے پتہ کر کے بتا دینا"۔

مہر صاحب کا صاحبزادہ دنیا کے مختلف ممالک میں تھوڑا تھوڑا عرصہ ملازمت کرتا ہوا آخر کار امریکہ پہنچ گیا اسے اس کے آجر ادارے کے صدر دفتر میں جگہ مل گئی تھی اس نے آتے ہی ایک امریکی میم سے شادی بھی کر لی اس طرح وہ عملی طور پر اپنے باپ، خاندان اور علاقے کی تمدنی روایات سے کٹ گیا لیکن باپ کے ساتھ اس کا زرعی مشاورت اور ڈالروں کا رشتہ بدستور قائم رہا۔ پھر جب مہر صاحب نے مایوس ہو کر کپاس کی کاشت کرنا بند کر دی تو تعلق صرف ڈالروں تک محدود ہو کر رہ گیا۔ مہر صاحب ڈالر بھی وصول کئے جاتے اور بیٹے سے کھنچے کھنچے بھی رہتے۔ لڑکے کو اس بات کا احساس تھا۔ چنانچہ اس نے فرصت پاتے ہی باپ کو راضی کرنے کی ٹھانی۔ وہ وطن واپس آیا، ساتھ میم کو بھی لایا۔ وہ بھی زرعی ماہر تھی۔ دونوں نے ڈھیروں ڈالر نذر کر کے مہر صاحب کا غصہ ٹھنڈا کیا۔ پھر وہ زمینیں دیکھیں جو بے آباد پڑی تھیں۔ نئے سرے سے مٹی کا ٹیسٹ کرایا گیا، زمینوں پر ٹریکٹر چلے، زہر اور کرم کش دواؤں کی بارش کی گی، حتٰی کہ آس پاس کی زمینوں پر بھی زہریلی دواؤں کا مینہ برسایا گیا۔ پھر مصر اور امریکہ سے دواؤں میں بسا ہوا بیج منگوایا گیا اور ایک بار پھر مہر صاحب کی زمینوں پر کپاس بو دی گئی۔ پودے ذرا بڑے ہو گئے تو بیٹا مطمئن ہو کر واپس چلا گیا۔ فصلیں بالکل محفوظ اور صحیح سلامت تھیں۔ ادھر مہر صاحب بھی خوش اور مطمئن تھے کہ فصل پر کسی کیڑے کے کوئی آثار نہیں۔ وہ ملنے جلنے والوں کو بڑے فخر سے اپنی فصلیں دکھاتے اور وہ بے اختیار کہہ اُٹھتے۔

"واہ مہر جی واہ! ماشاءاللہ کیسی صاف ستھری چوڑے پتوں والی ہری بھری فصل ہے۔ ماشاءاللہ بیٹا ہو تو ایسا.....!"

مہر صاحب کی فصل ٹینڈوں تک آ گئی تھی اور کسی بھی کیڑے مکوڑے کے حملے سے محفوظ تھی۔ مہر صاحب اس کامیابی پر پھولے نہ سماتے تھے۔ وہ اتنے مطمئن تھے کہ کئی کئی روز کھیتوں پر جاتے ہی نہ تھے۔ ان کے خیال میں انہیں اس قدر تردد کی ضرورت نہ تھی۔ ایک روز وہ صبح ہی صبح کھیتوں کو نکل گئے دوپہر کو واپس آئے تو تھکے تھکے، مضمحل اور اداس اداس دکھائی دے رہے تھے، چہرے پر مایوسی

کے آثار صاف دکھائی دے رہے تھے۔ حویلی میں آتے ہی کسی سے بات چیت کئے بغیر حجرے میں چلے گئے اور دروازہ بند کرلیا۔ گھر کے لوگ کھانے کا کہتے رہے مگر وہ انکار کرتے رہے بس کہتے رہے کہ مجھے سونے دو۔

سہ پہر تک یہ بات ہر ایک کے علم میں آ چکی تھی کہ مہر صاحب کی فصل پر امریکن سنڈی پھر سے حملہ آور ہوگئی ہے۔ یہ بات گاؤں کے لوگوں کے لئے بھی بہت تشویش کا باعث بنی۔ ہر کوئی اس بات پر فکر مند تھا کہ اتنے حفاظتی اقدامات کے باوجود امریکن سنڈی مہر صاحب کی فصلوں پر آ سکتی ہے تو اور کوئی اس کے حملے سے کیسے محفوظ رہ سکتا ہے۔

مغرب کے بعد گاؤں کے لوگ مہر صاحب سے اظہار ہمدردی کرنے کے لئے اُن کی حویلی آنا شروع ہو گئے۔ حیدر چیمہ، چھبا ڈوگر، حاجی گامن، نور چانڈیہ، عالم کاہلوں، جیون شاہ، اکبر دریشک، خیر محمد مزاری، غرض چھوٹے بڑے زمیندار سب آئے۔ باز بلوچ بھی آیا۔ سب مہر صاحب کی بیٹھک میں دیر تک بیٹھے اُن کا انتظار کرتے رہے مگر مہر صاحب نہ آئے۔ کوئی پوچھتا تو اُسے یہی بتایا جاتا کہ مہر صاحب کی طبیعت ٹھیک نہیں ہے۔ بہت دیر انتظار کے بعد جب سب لوگ مایوس ہو کر جانے لگے تو مہر صاحب آ گئے۔ چہرے پر اضمحلال اور مایوسی نمایاں تھی اور چال میں بے اعتمادی اُن کے اندرونی دکھ کا پتہ دے رہی تھی۔ وہ اپنی عمر سے دس سال زیادہ کے بزرگ لگ رہے تھے۔ واجبی سلام دعا کے بعد خاموشی سے بیٹھ گئے۔ غالباً نقصان سے زیادہ ناکامی کا احساس اُنہیں مارے دے رہا تھا جو امریکن سنڈی کے خلاف جنگ میں اُن کے بیٹے اور خود اُن کے حصے میں آئی تھی۔ دیگر تمام لوگ بھی اُن سے امریکن سنڈی کے موضوع پر ہی بات کر رہے تھے اور وہ نیم دلی سے جواب دے رہے تھے۔ ہر بات کا لب لباب یہی نکلتا تھا کہ آخر یہ بلا آ کیسے گئی۔

آج باز بلوچ بھی قدرے سنجیدہ تھا۔ غالباً اُس نے بھی حالات کی نزاکت کا احساس کرلیا تھا اور وہ اپنے انداز سے بات کرنے سے گریز کر رہا تھا۔ مگر باتیں کرتے کرتے اس کی رگِ ظرافت پھڑک ہی اُٹھی اور اس نے فقرہ کس دیا۔ ''سائیں مہر صاحب، جتنا کچھ آپ نے کیا اس سے تو اس کے آنے کے تمام راستے بند ہو گئے ہوں گے پھر یہ کیسے آ گئی۔''

لال، ہرا یا نیلا

لال، ہرا یا نیلا

ریت کے ٹیلوں کے عقب سے ابھرتے ہوئے سورج کی روپہلی کرنیں سارے ریگستان پر پھیل گئی تھیں لیکن روشنی ابھی اتنی نہیں تھی کہ انعکاس نور کے باعث آنکھوں کو چندھیانے لگتی۔ اس وجہ سے دور تک تمام منظر صاف دکھائی دیتا تھا۔ صبح کی دلفریب تازگی میں تازہ دم جوشیلے نوجوان سکاؤٹ لڑکے کمر پر سفری تھیلے اٹھائے ہاتھوں میں لاٹھیاں تھامے اپنی سیاحتی منزل کی طرف رواں دواں تھے۔ ان کی منزل رتہ ٹبہ تھی وہ چلتے بھی جا رہے تھے اور صحرا کے مناظر سے لطف اندوز بھی ہو رہے تھے لیکن ان میں سے تقریباً ہر ایک کی نظر چند فرلانگ دور ایک مقام پر بار بار مرکوز ہو رہی تھی جہاں چیلیں اور گدھ ریت پر اترتے ہوئے دکھائی دیتے تھے۔ صاف ظاہر تھا کہ یہ مردہ خور پرندے کسی لاش کے گرد جمع ہیں۔ لیکن وقفے وقفے سے ان میں کچھ پرندے اس طرح اچانک اُڑ جاتے یا اڑے بغیر پیچھے ہٹ جاتے جیسے کوئی چیز انہیں ڈراتی ہو یا ان پر حملہ کرتی ہو۔ یہی تجسّس تھا جو ان لڑکوں کی نظروں کو اس طرف راغب کئے ہوئے تھا۔

''یار آسان سی بات ہے، شانی بولا'' کوئی جانور ہے جو ابھی مرا نہیں۔ یہ اسے کھانے کے لئے آ......آ......آگے جا جا......جاتے ہیں مگر وہ......نا......قاقا......قابو نہیں آتا'' شانی کچھ تھتھلاتا تھا اس لئے بات نومی نے مکمل کر دی اور ساتھ چلنے والے دوسرے لڑکے ہنس دیئے۔

''لیکن یار یہ بھی تو ہو سکتا ہے نا کہ کسی بڑے شکاری درندے نے کوئی شکار مارا ہو اور اسے کھا رہا ہو اور یہ مفت خورے یوں ہی مفت لگانے آ گئے ہوں اور وہ انہیں لفٹ نہ کراتا ہو۔'' شیخ نے اپنا فلسفہ جھاڑا۔

''یہ بات ہو سکتی ہے'' نوکی کہنے لگا'' چلو شانی سے پوچھ لیتے ہیں۔ کیوں شانی؟ مگر جواب

ذرا جلدی مکمل کر لینا۔''

ٹھیک ہی کہتا ہوگا...... آخر شیخ ہے...... کاروباری بندہ۔

''لو بھئی...... شانی نے بھی شیخ کی بات سے اتفاق کر لیا اور وہ بھی تھتھلائے بغیر......'' نومی نے مسکراتے ہوئے کہا اور سب ہنس دیئے۔

''میری بات سے بڑے بڑے اتفاق کر لیتے ہیں۔ یہ بے چارا تو کوئی شے ہی نہیں'' شیخ نے شانی پر جملہ کسا۔ ساتھ ہی نومی کو دیکھ کر آنکھ دبائی۔

''واقعی جی......'' بڑے بڑے اتفاق نہ کریں تو قا قا...... قا قا...... قائداعظم والے ب ب...... بڑے بڑے نوٹ یہ کیسے ٹھ ٹھ...... ٹھ......''

''ٹھگے'' اس بار بات دو تین لڑکوں نے بیک وقت مکمل کی۔ اور سب لڑکے ہنسنے لگے۔ شانی نے بھی ہنستے ہوئے سر گھما کر دوسروں کی طرف دیکھا وہ کچھ کہنے ہی والا تھا کہ فضا میں بلند ہونے والی، ہلکی سی چیخ کی آواز سے سب لوگ ٹھٹھک کر رہ گئے۔

''یہ کیا''...... نومی نے انتہائی حیرانی سے کہا ''یہ تو کوئی انسان کی آواز ہے''۔ تمام لڑکے رک گئے اور اس مقام کی طرف دیکھنے لگے جہاں اب بھی گدھ چیلیں اور کوے ریت پر اترے کھڑے تھے۔

''ادھر چل کر نہ دیکھیں'' ایک لڑکے نے تجویز کی صورت میں کہا۔

''نہیں اوئے نہیں'' شیخ نے جھٹ جواب دیا ''ذرا سوچ سمجھ کر'' ہاں لڑکے ابھی کچھ فیصلہ نہ کر پائے تھے اور وہیں رکے کھڑے تھے۔ ان کے رہبر بھی چلتے چلتے ان کے ساتھ آملے تھے اور وہ بھی معاملے پر غور کر رہے تھے کہ فضا میں پھر ہلکی سی چیخ سنائی دی۔ ایسے لگتا تھا جیسے کوئی کراہ رہا ہو۔ پھر یکا یک، ''بچاؤ...... بچاؤ...... پانی...... پانی'' کے تکلیف میں ڈوبے ہوئے الفاظ سنائی دیئے۔ اور تمام لڑکے اس سمت میں دوڑ پڑے جہاں مردہ خور پرندے ریت پر اترے ہوئے تھے۔

پندرہ بیس لڑکے لاٹھیاں لہراتے ہوئے اپنی طرف دوڑتے آتے دیکھ کر پہلے تو پرندے کچھ حیران ہوئے پھر اڑنے لگے۔ سب سے پہلے کوے اڑے پھر چیلیں اور آخر میں گدھ، جو اڑنے سے پہلے اپنا رخ تبدیل کرتے پھر کچھ دوڑ لگا کر اس طرح ٹیک آف کرتے جس طرح امریکی طیارہ بردار جہاز پر سے بمبار طیارے پرواز کرتے ہیں۔ لیکن یہ سب پرندے پرواز کر کے ایک ہی

سمت کو جاتے دکھائی دیئے۔

لڑکے اب وہاں پہنچ چکے تھے جہاں پہلے مردہ خور پرندے ریت پر اتر کر جمگھٹا کئے ہوئے تھے مگر اب وہاں ایک انسانی جسم پڑا نظر آتا تھا۔

''لاش ہے...... کسی عورت کی'' ایک لڑکا بولا۔

''ہاں...... عورت بھی نہیں لڑکی ہے'' شیخ کہنے لگا۔

''عورت ہے...... یا ل ل لڑکی...... دیکھو تو سہی ز ز زندہ بھی ہے کہ نہیں۔'' شانی بولا۔

''بھائی تو آگے ہو کر دیکھ لے...... ویسے میرے خیال میں زندہ نہیں'' نومی نے شانی کو آگے کرتے ہوئے کہا۔ مگر شانی آگے نہ ہوا۔

''ڈرتے کیوں ہو......'' شیخ بولا...... ''انسان ہی ہے...... وہ بھی مرا ہوا۔''

''مرا ہوا نہیں مری ہوئی'' شانی جھٹ بولا ''مگر یہ مری ہوئی نہیں زندہ ہے کیونکہ اگر مری ہوئی تھی تو چیخ پھر تو نے ماری تھی؟ شیخ سے نمٹتے ہوئے شانی کی تھتھلاہٹ اکثر ختم ہو جایا کرتی تھی۔''

''چلو یار...... دیکھ لیتے ہیں'' نومی یہ کہہ کر آگے بڑھا اور نیچے بیٹھ کر اس لڑکی کو دیکھنے لگا جو ریت پر چاروں شانے چت پڑی تھی۔ اس کے دانت سختی سے جڑے ہوئے تھے اور آنکھیں اندر کر دھنسی ہوئی تھیں۔ نومی نے کچھ دیر اس کا جائزہ لیا مگر قبل اس کے کہ وہ کوئی نتیجہ اخذ کر کے ساتھیوں کو بتاتا۔ اس زندہ لاش سے کراہنے کی دھیمی سی آواز آئی ساتھ ہی ''پانی...... پانی'' کے الفاظ یوں سنائی دیئے جیسے کوئی دور کسی گہری جگہ پر آہستہ آہستہ باتیں کر رہا ہو۔

''یہ زندہ ہے یار...... پانی کی بوتل ادھر لاؤ'' نومی نے یہ کہتے ہی اس کا سر اٹھا کر اپنے گھٹنے پر ٹکا لیا۔ اعظم نے پانی کی بوتل اسے تھما دی جو نومی نے اس کے ہونٹوں سے لگا دی۔ جڑے ہوئے دانتوں میں سے پانی بمشکل حلق تک پہنچا ہوگا کہ اگلے ہی لمحے دانت کھل گئے اور وہ لڑکی غٹا غٹ پانی پینے لگی۔ نومی نے تھوڑا سا پانی اسے پلایا۔ مگر ابھی وہ بوتل پیچھے ہٹا نہ پایا تھا کہ لڑکی کا سر ایک جانب کو ڈھلک گیا۔

''اب مر گئی ہے'' شانی بولا اور آگے بڑھ کر اس کی نبضیں ٹٹولنے لگا۔

''نہیں نہیں زندہ ہے...... اور پانی پلاؤ۔ اور کسی کو مدد کے لئے بلاؤ۔''

''کیا معاملہ ہے'' رہبر جو اس وقت تک وہاں پہنچ چکا تھا پوچھنے لگا۔

''سر یہ پتہ نہیں کون ہے۔ زندہ ہے...... پانی مانگ رہی تھی۔ ہم نے پلا دیا......اب شاید بے ہوش ہے......اسے مدد کی ضرورت ہے'' نومی نے ایک ہی سانس میں سب کچھ کہہ دیا۔

''ایسا کرو سٹریچر بناؤ اور اسے اس پر ڈال کر پیچھے رینجرز پوسٹ پر لے جاؤ۔ آدھ گھنٹے کی مسافت پر ہے۔ وہ خود ہی کوئی بندوبست کرلیں گے۔ ہم واپسی پر اس کا پتہ کرلیں گے۔''

رہبر نے ہدایت کی۔

ہدایت پر عمل کیا گیا اور لڑکی کو پوسٹ پر پہنچانے کے بعد لڑکے اپنے سفر پر روانہ ہو گئے۔

چار روز بعد لڑکے واپس آئے تو انہیں بتایا گیا کہ لڑکی ہسپتال میں ہے اور لڑکوں کو ملنا چاہتی ہے۔ نیز یہ کہ لڑکی کو عدالت میں بھی پیش کیا جانا ہے۔ وہاں بھی لڑکوں کو جانا ہوگا۔ لڑکوں کا ہسپتال جانے کے لئے متجسس ہونا کوئی حیرت کی بات نہ تھی۔ تھکے ہوئے ہونے کے باوجود وہ اسی شام ہسپتال جا پہنچے۔ لڑکی تکیے سے ٹیک لگائے بستر پر نیم دراز تھی۔ سانولے رنگ کی نوجوان لڑکی، جس کی لمبی گھنی سیاہ زلفیں اب رعنائی سے مبرا تھیں بڑی بڑی خوبصورت آنکھیں جو کبھی شوخ اور چمکدار ہوتی ہوں گی اندر کو دھنسی ہوئی تھیں اور چہرے پر زردی کی حکمرانی صاف عیاں تھی۔ وہ نہایت نحیف و نزار ہونے کے باوجود اپنی عمر سے بڑی دکھائی نہ دیتی تھی۔ لڑکوں کے آنے پر وہ کچھ حیران سی ہوئی اور آنکھیں پھاڑ پھاڑ کر انہیں تکنے لگی۔ پھر ایک دو لڑکوں کو سکاؤٹ وردی میں دیکھ کر مسکرائی، شاید اسے بتا دیا گیا تھا کہ اسے موت کے منہ سے بچانے والے کچھ سکاؤٹ لڑکے تھے جو چولستان کی سیاحت کو نکلے تھے۔ اس نے ہاتھ اٹھا کر سب کو سلام کیا لیکن لڑکوں کی حیرت کی انتہا نہ رہی جب اس نے باوردی لڑکوں کو تین انگلیوں سے سکاؤٹنگ کا عالمی نشان بنا کر سلام کیا۔

''کیا بات ہے یار......'' اعظم کے منہ سے بیساختہ نکلا'' سکاؤٹ سلیوٹ۔''

''پڑھی لکھی لگتی ہے'' نومی نے خیال ظاہر کیا۔

''مگر سکاؤٹنگ کے بارے میں......'' اعظم ابھی اپنی بات پوری نہ کر پایا تھا کہ لڑکی نے اپنا دایاں ہاتھ کچھ سمجھانے کے انداز میں اٹھایا پھر بڑی مشکل سے گویا ہوئی۔

''میں بھی سکول میں گائیڈ تھی'' ''......او......او۔''

وہ آگے کچھ کہنا چاہتی تھی مگر کہہ نہ سکی۔ کمزوری سے وہ نڈھال تھی۔ لڑکے چاہتے تھے کہ وہ کچھ اور باتیں کرے مگر اس کی لڑکھڑاتی ہوئی زبان اور خوفناک حد تک زرد رنگت انہیں مانع محسوس ہوتی تھی۔

''آپ انڈین ہیں'' شیخ نے پوچھا۔

لڑکی نے نفی میں سر ہلایا۔

''بنگلہ دیشی ہیں؟''

''کوئی دیشی نہیں۔ امارا کوئی دیش نہیں۔''

یہ کہہ کر وہ رونے لگی۔

لڑکے ابھی سوچ ہی رہے تھے کہ کیا کریں کہ وہ بے ہوش ہوگئی۔

نرس کو بتایا گیا مگر اس نے مریضہ کی طرف توجہ کم دی اور لڑکوں پر برسنے کو زیادہ ضروری جانا۔

''آپ لوگوں نے اس سے مل لیا ہے تو بس چلے جائیں انٹرویو لینے سے مطلب۔'' وہ تنک کر بولی۔

''پتہ تو چلنا چاہئے نا کہ یہ کون ہے اور اسے کون سا دکھ اس ظالم صحرا میں لے آیا۔ نومی نے قدرے تحمل سے جواب دیا۔ مگر نرس کا مزاج اور تیز ہوگیا۔ تو پھر ایسا کریں کہ اپنے ساتھ ہی لے جائیں اس سوغات کو...... ایسے ہی ہمارے گلے مصیبت ڈال دی...... اور مصیبتیں کیا کم تھیں جو یہ بنگالن لا پھینکی ہے۔ یہاں پر......''

''اچھا بنگلہ دیشی ہے۔'' شانی نے نرس کی بات کا جواب دینے کی بجائے آہستہ سے کہا۔

''مجھے تو آپ بھی ان لوگوں میں سے لگتی ہیں جن کے متعلق سنا ہے کہ بنگال کو مصیبت کہا کرتے تھے'' نومی بھی۔

''آپ زیادہ بحث نہ کریں اور جائیں یہاں سے'' نرس اور بھی تلخ ہوگئی۔

''کیوں چلا جاؤں ہم نے ایک مریض داخل کرایا ہے'' اس کی بابت پوچھنا ہمارا حق ہے۔

''پوچھتے رہو...... نہیں بتاتی میں......'' نرس اور چڑی ''آئے بڑے حقدار......''

یہ کہتے ہوئے نرس وارڈ سے باہر چلی گئی اور نومی اسے گھورتا رہ گیا۔

''چھوڑ و یار'' شیخ بولا'' وہ بے چاری بچ بھی گئی تو انہوں نے کونسا کوئی اچھا سلوم کرنا ہے اس کے ساتھ......تم خود بھی سمجھدار ہو۔''

خوار کر کے واپس بنگلہ دیش بھیج دیں گے۔

تو کیا نہیں بھیجنا چاہئے آپ کے خیال میں۔

وارڈ میں داخل ایک مریض کی عیادت کو آیا ہوا ایک شخص وہیں سے گویا ہوا۔ پھر وہ شخص اٹھ کر لڑکوں کی طرف آنے لگا۔ سفید شلوار قمیص اور چمکدار سیاہ جوتے پہنے یہ صحت مند توانا شخص اپنی حجامت اور چال ڈھال سے ریٹائرڈ فوجی افسر معلوم ہوتا تھا۔ وہ آ کر لڑکوں کے پاس یوں کھڑا ہو گیا جیسے ابھی انہیں دبوچ لے گا۔

''یہ فیصلہ قانون کرے گا مگر انسانی ہمدردی کا تقاضا ہے کہ اس کی جان بچائی جائے۔ ہم نے صرف یہی بتایا ہے نا کہ وہ بے ہوش ہو گئی ہے اور......''

چلو آپ نے بتا دیا نا......اب آپ جائیں۔

''ہم کیوں جائیں جی......ہم شہری ہیں اس ملک کے'' نومی اکڑ ارہا۔

''او مائی بلڈی فٹ......جاؤ ادھر سے......سب کو ڈسٹرب کر رہے ہو۔''

''سر آپ اپنے مریض کے پاس جائیں......ہم ہسپتال کی انتظامیہ سے بات کر رہے ہیں'' کسی کو ڈسٹرب نہیں کر رہے۔

''مگر تم جانتے ہو کہ یہ مریض رینجرز کی کسٹڈی میں ہے۔ اس نے غیر قانونی طور پر سرحد عبور کی ہے۔ وہ شخص اور سخت ہو گیا۔''

''ہم اسے کسٹڈی سے باہر نہیں لے جا رہے ہ......اسے رینجرز کی پوسٹ پر ہم نے ہی پہنچایا تھا......ہمیں اس سے کوئی دلچسپی نہیں۔ ہم تو کل صبح یہاں سے چلے جائیں گے......صرف اتنا پتہ کرنے آئے تھے کہ یہ کون ہے اور اسے کیا ہوا ہے'' نومی نے ذرا لہجہ بدل کر دھیمے انداز میں ساری بات اسے سمجھائی اور وہ بھی کچھ ڈھیلا پڑ گیا۔

''اچھا آپ تھے وہ ٹورسٹ جنہوں نے اسے پکڑا تھا۔''

''پکڑا نہیں جی'' اب شیخ نے مداخلت کی'' یہ بے چاری ریت پر گری پڑی پانی، پانی چلا رہی

تھی اور مردار خور جانور اسے نوچنے کی فکر میں تھے ہم نے اسے بچایا، پانی پلایا اٹھا کر رینجرز پوسٹ تک لائے۔''

''اچھا...... یہ بات ہے'' وہ شخص کچھ سوچنے لگا پھر بولا'' پھر پرندے آپ کے پیچھے تو نہیں پڑے۔''

''نہیں جی؟ شانی بڑے فخر سے بولا۔ اس کی زبان اب بالکل ٹھیک چل رہی تھی'' ہم نے مار مار کر اڑا دیئے اور وہ اڑ کر انڈیا کی طرف چلے گئے۔

''انڈیا کی طرف...... اس شخص نے حیرانی اور مزاح کے ملے جلے انداز میں پوچھا۔''

اس پر سب ہنس پڑے مگر ہنسی جلد ہی روکنا پڑی۔ جب اس لڑکی نے نحیف سی آواز میں کوئی بات کی۔

''جی...... کیا کہا آپ نے؟'' شانی نے پوچھا۔

''ہم بولے کہ وہ پنچھی آئے بھی تو انڈیا ہی سے تھے۔ ہمارے اوپر اوپر اڑتے'' لڑکی کو ہوش آ چکا تھا اور اس نے شاید آخری چند جملے سن لئے تھے۔

''لو جی ہوش آ گیا اسے...... اب جو ایک آدھ بات آپ نے کرنی ہے اس سے کر لیں اور تشریف لے جائیں باقی مریض ڈسٹرب ہو رہے ہیں'' وہ شخص یہ سب کچھ ایک ہی سانس میں ایسے کہہ کر چل پڑا جیسے سرسری سماعت کی فوجی عدالت نے فیصلہ سنایا ہو۔ پھر یکدم رک کر مڑا اور بولا۔

''ویسے اس طرح کے لوگوں میں زیادہ انٹریسٹ نہیں لینا چاہئے۔ بندہ خواہ مخواہ مشکل میں پھنس جاتا ہے۔ ویسے بھی یہ قومی مفاد کا معاملہ ہے۔

لڑکوں نے جواب میں خاموش رہنے کو ترجیح دی اور اس سے جان چھڑائی۔ مگر اگلے ہی لمحے وہی بدمزاج نرس تیز تیز قدموں سے چلتی ہوئی ان تک آئی اور بڑے تیکھے انداز میں کہنے لگی

''جایئے آپ سب کو پولیس والے بلا رہے ہیں...... وہ ایڈمنسٹریٹر صاحب کے کمرے میں۔''

لڑکے حیرانی سے ایک دوسرے کو منہ تکنے لگے۔ انہیں شاید سمجھ نہیں آ رہا تھا کہ معاملہ کیا ہے۔ اور وہ ابھی خاموش کھڑے بات کی تہہ تک پہنچنے کی کوشش کر رہے تھے کہ انہوں نے قمیص،

پتلون اور ٹائی میں ملبوس ایک افسر نما شخص کو ایک پولیس سب انسپکٹر اور دو مسلح پولیس والوں کے ہمراہ اپنی طرف آتے دیکھا۔ افسر نما شخص واقعی افسر تھا۔ اس نے ہسپتال کے ایڈمنسٹریٹر کے طور پر لڑکوں سے اپنا تعارف کروایا اور بڑی خوش اخلاقی سے ان سے مصافحہ کیا۔ پولیس افسر نے بھی اس کی تقلید میں ایسا ہی کیا پھر سب باہر چلے گئے۔

لڑکوں کو بتایا گیا کہ انہیں مقامی پولیس کے سامنے بیان دینا ہوگا کہ وہ لڑکی انہیں کب، کہاں اور کیسے ملی اور یہ کہ وہ اس کے بارے میں اور کیا جانتے ہیں۔ باہمی بات چیت کے بعد فیصلہ ہوا کہ یہ بیانات اگلے روز ہی ہو جائیں گے تاکہ لڑکے اپنے واپسی کے سفر پر روانہ ہوسکیں۔

دن گزرتے گئے اور موضوع مدھم پڑتا گیا حتیٰ کہ کچھ لڑکوں نے تو اس موضوع پر صرف واجبی سی بات چیت پر اکتفا کرنا شروع کر دیا مگر نومی اور شان نے اپنی دلچسپی برقرار رکھی۔ شیخ بھی تھوڑے بہت واسطے کا اظہار کرتا۔ آخر ایک روز عدالت کے سمن ان لڑکوں کے نام آ گئے کہ اسلامی جمہوریہ پاکستان کی حدود میں غیر قانونی طور پر داخل ہونے والی غیر ملکی خاتون کو عدالت میں پیش کیا جا رہا ہے اور کیس میں ان لڑکوں کی شہادتیں ہوں گی۔ اس لئے سب لازمی حاضر آئیں۔

شان اپنے بھائی اور نومی اور شیخ اپنی اپنی والدہ کے ہمرہ عدالت میں حاضر ہوئے۔ لڑکی کو عدالت میں بیان دینے کے لئے لایا گیا۔ اس کی ظاہری حالت اب بہت بہتر تھی۔ سانولی رنگت پر جوانی کی چمک عجب بہار دکھا رہی تھی۔ لمبی گھنی سیاہ چمکدار زلفیں اور سفید براق دانت۔ اس کے چہرے اور جسم کے ایک ایک خط سے سنہرا بنگال جھلکتا نظر آ رہا تھا۔ تاہم وہ اب بھی قدرے پریشان اور ذہنی دباؤ کا شکار دکھائی دیتی تھی۔ شاید اس لئے کہ اسے یہاں اجنبی اور غیر ہونے کا تاثر بری طرح دیا گیا تھا بالکل مشرقی بنگال کی طرح۔

عدالت میں لڑکی کا بیان سننے والوں کے لئے ایک کہانی سے کم نہ تھا۔ وہ کہانی جس کا تعلق دل و دماغ سے زیادہ صبر اور احساس سے ہوتا ہے۔

''میرا باپ مشرقی پاکستان کے بنگلہ دیش بننے کے وقت زندہ تھا مگر وہ ہر وقت ''پاکستان'' پاکستان کرتا رہتا تھا۔ قائداعظم اس کا آئیڈیل تھے۔ وہ کہتا تھا کہ مسلم ہندوستان نے ایک ہی لیڈر پیدا کیا ہے اور وہ ہیں مسٹر جناح۔ وہ جناح صاحب کے ساتھ اپنی ملاقاتوں اور ان کے

جلوسوں کی بھی بہت باتیں سنایا کرتا تھا۔ میں ڈھاکہ کے ایک بہاری کیمپ میں پیدا ہوئی وہیں پلی بڑھی اور پڑھی۔ میرا باپ مجھے بچپن ہی سے سکھایا کرتا تھا کہ قائداعظم ہی ایک شخصیت ہے جس کا بدل کوئی نہیں اور پاکستان ہی وہ دیس ہے جہاں ہم کو رہنا ہے۔ وہ بڑے جوش اور بڑی امید سے کہا کرتا تھا کہ ہم لوگ آخر کو پاکستان پہنچ جائیں گے۔ مگر ایسا نہ ہوا...... پھر وہ بیمار پڑ گیا...... بہت بیمار ہوا...... ایک روز ہم سے بولا مرنا سب کو ہے بس ہمارا ارمان ہے کہ ایک بار پاکستان دیکھ لوں۔ پھر چاہے مر جاؤں۔ جب ہم مریں تو ہم کو قائداعظم کے مقبرے کے پاس دفن کرنا......''

لڑکی جذباتی ہوتی جا رہی تھی۔ اس کی آنکھوں سے آنسو رواں تھے اور وہ بمشکل بات کر رہی تھی۔

''پھر وہ مر گیا جج صاحب...... مر گیا...... اور اسے بہاری کیمپ کے قبرستان میں ہی دفن کر دیا گیا۔ مجھے اپنے باپ کا بتایا ہوا ایک ایک لفظ یاد تھا۔ میں اپنی ماں کو کہا کرتی تھی کہ ہم ضرور پاکستان چلیں گے۔ پھر اسی آشا میں ایک دن وہ بھی اللہ کے پاس چلی گئی۔ اب میں اس دنیا میں اکیلی تھی۔ مگر میں جانتی تھی کہ میری دنیا پاکستان ہے۔ ادھر چلی گئی تو میں اکیلی نہیں رہوں گی۔ قائداعظم کے پاکستان میں ہم کو بہت پیار ملے گا۔''

پاکستان سے بہت سے لیڈر لوگ ہمارے کیمپوں میں آتے۔ بڑے بڑے بھاشن دیتے ہم کو پاکستان لے جانے کا وعدہ دیتے اور چلے جاتے۔ مگر ہم ادھر کے ادھر ہی رہتے۔ انسانوں کے سمگلر، کلکتہ اور اگرتلہ سے آتے اور بے سہارا، نوجوان لڑکیوں کو غنڈہ لوگوں کی مدد سے لے جاتے اور انہیں دام دے دیتے۔ ایک روز ایک ایسا ہی سمگلر آیا میں کیمپ کے باہر والی دکان سے کچھ خرید رہی تھی۔ اس نے میری طرف اشارہ کر کے شمس الدین سے کچھ پوچھا۔ شمس الدین بھی بہاری تھا مگر بہت خراب آدمی تھا۔ ہم نے خود سنا وہ شمس الدین سے کہہ رہا تھا'' کتنے قائداعظم لو گے، وہ بولا دس نیلے والے۔ ہم بہاری لوگ کیمپوں میں اپنی بچت پاکستانی روپے میں ہی رکھتے ہیں ہماری آنکھوں میں جیسے خون اتر آیا...... اپنی بات سے نہیں بھلا بتاؤ کہ قائداعظم دس بھی ہو سکتے ہیں اور پھر قائداعظم کا ساری عمر ایک ہی رنگ رہا۔ مگر یہ نیلا قائداعظم......''

لڑکی رونے لگی۔ عدالت میں موجود لوگوں پر جیسے سکتہ طاری ہو گیا تھا۔

''لیکن جج صاحب......وہ ہمیں لے گیا......چکر دے کر لے گیا......بولا پاکستان چلیں گے......ہمیں تب پتہ چلا جب وہ ہمیں کلکتہ کے شوتا باڑی لے گیا......آپ جانتے ہیں نا جج صاحب شوتا باڑی۔لیکن ہم بھی ہوشیار تھے۔ہم نے ایک آدمی سے بات بنالی۔اس کو بولا کہ ہمیں ادھر سے باہر نکال دو تو تم سے شادی کرلیں گے۔وہ ہمیں اپنے گھر پٹنہ لے آیا۔ہم ادھر سے بھی بھاگ گیا۔مگر جمشید پور میں پکڑا گیا۔دو ماہ جیل کاٹا......ادھر ایک لیڈی کانسٹیبل کو اپنی سٹوری سنایا۔بولی کچھ پاس ہے۔کوئی قائداعظم نیلا......ہرا......لال......ہم کو بہت غصہ آیا......لیکن کرتے کیا دشمن دیس میں تو ایسا ہی ہوتا ہے نا......ہم نے اس کو ایک ہزار روپیہ دیا......اور بھاگ گئے......کتنے ہی دن بھیک مانگنے والی عورت بنے رہے۔اور جے پور پہنچے مگر پکڑے گئے۔جیل میں اور بھی بہت سے بہاری تھے۔یہ سب پاکستان جانا چاہتے تھے۔عورتیں بھی، بچہ لوگ بھی......آدمی لوگ بھی......انڈین پولیس والے بہت پیسہ مانگتے تھے۔یہ بھی بولتے تھے لاؤ نکالو قائداعظم نیلے، ہرے، لال جو بھی ہیں۔بہاریوں کے پاس جو کچھ تھا وہ سب ان کو دے دیا......ہمارے پاس گاندھی جی تھے......انڈین روپے ہم نے سب دے دیئے۔بس بھوجن پانی کو کچھ پیسے رکھ کے۔وہ ہم سب کو بارڈر پار کرا گئے۔بولے سیدھے چلتے جاؤ ایک دو دن میں ریت پار کرلو گے تو پاکستان پہنچ جاؤ گے۔ایک دن، دو دن بیتے......ہفتہ......دس دن......پندرہ دن......راشن سب ختم ہوگیا۔پانی پینے کو کیا دیکھنے کو نہیں ملا......بھوکے پیاسے بچے بلبلاتے مرنے لگے۔راستہ گم ہوگیا۔کچھ پتہ نہیں تھا کدھر جائیں......ایک ایک کر کے سب لوگ مر گئے......سب مر گئے جج صاحب سب......وہیں ریت پر گرتے گئے۔ہم زندہ رہے......چلتے گئے......ہم کو کچھ معلوم نہیں ہم کدھر چلے اور کہاں پہنچے......بس اتنا معلوم ہوا کہ یہ مرنے سے پہلے سکاؤٹ لوگ ہم کو مل گئے اور اب ہم آپ کے سامنے کھڑے ہیں......مجرم بنے......اپنے ہی دیس میں بدیسی......وہ پھوٹ پھوٹ کر رونے لگی۔جج، وکیل، پولیس والے اور حاضرین سب کی آنکھیں بھری ہوئی تھیں وہ پھر گویا ہوئی۔

''کتنے قائداعظم؟......نیلے، ہرے یا لال؟ یہ باتیں سن سن کر کان پک گئے حضور......دشمن دیس والے کہتے تھے تو سوچتے تھے کوئی بات نہیں دشمن جو ٹھہرے......اپنے بھی یہی باتیں

کرتے ہیں سرکار...... بھلا بتایئے قائداعظم کے بھی رنگ تھے جناب ایک پولیس والا مجھے بولا جج صاحب کو سفارش ڈلواؤ...... ہم بولے کس کی؟ ہم کو تو کوئی جانتا نہیں ہے...... بولا قائداعظم کی...... ہم بولے وہ کیسے تو ہنسنے لگا...... پاکستان ہمارا دیس ہے۔ جناب...... ہم کو اس سے پیار ہے...... اور اس میں رہنا ہمارا حق ہے...... بس ہماری آپ سے ایک ہی مانگ ہے جج صاحب...... آپ چاہے ہم کو پھانسی دے دیں۔ چاہے سارے جیون کو جیل دے دیں لیکن ہم کو پاکستان سے نہ نکالیں۔''

وہ بری طرح پھوٹ پھوٹ کر رونے لگی......

عدالت میں مکمل سناٹا تھا۔ ہر آنکھ اشکبار تھی۔ ہر چہرے پر اسی تمنا کے آثار ہویدا تھے کہ غریب الدیار خاتون کے لئے قانون کا کوئی نرم گوشہ تلاش کیا جائے۔ جج پر ابھی داستان کا اثر غالب تھا کہ سرکاری وکیل نے عدالت کی توجہ اس قانونی نکتے کی طرف دلائی کہ حالات خواہ کچھ بھی کیوں نہ ہوں۔ اسلامی جمہوریہ پاکستان کی حدود میں غیر قانونی داخلے کا جرم تو بہر حال سرزد ہوا ہے جس کی سزا قانون میں موجود ہے اور پھر یہی ہوا۔ جذبات اور احساسات کی گرمجوشی ایک بار پھر قانون کی سرد مہری سے مات کھا گئی اور لڑکی کو قید و جرمانے کی سزا دی گئی۔

عدالت کے باہر لوگ اب بھی کھڑے تھے۔ نومی اور اس کی والدہ، شیخ اور اس کی والدہ سے محو گفتگو تھیں کہ شانی اور اس کا بھائی ایک ادھیڑ عمر وکیل کا ہاتھ تھامے ان کے پاس آن کھڑے ہوئے۔ وکیل صاحب کہتے ہیں کہ ''یہ ل لڑکی ج ج جیل سے رہا بھی ہو سکتی ہے اور اسے ش ش شہریت بھی مل سکتی ہے...... پوچھ لیں ان سے'' ''وہ کیسے؟ نومی بولا اور تمام لوگ سوالیہ نظروں سے وکیل صاحب کی طرف دیکھنے لگے۔ کوئی شخص اس لڑکی کی ضمانت کرا لے اور اس سے شادی کر کے شہریت کی درخواست دے دے۔ آگے کا کیس میں سنبھال لوں گا۔ وکیل نے جلدی جلدی بولتے ہوئے جواب دیا۔

''مگر وکیل صاحب'' نومی بولا ''آپ یہ نکتہ لے کر کیس کیوں نہیں لڑتے کہ لڑکی پاکستانی شہری ہے۔ غیر ملکی قید میں محبوس ایک پاکستانی کی بیٹی ہے جس نے جیل میں یعنی کیمپ میں جنم لیا ہے اور اسے اپنے وطن میں آنے کے لئے کوئی پاسپورٹ نہیں چاہئے۔ پہلے بھی جتنے بہاری یہاں

لائے گئے ہیں بغیر پاسپورٹ کے آئے تھے......''

''یہ وکالت آپ کر لیجئے گا......ابھی تو مسئلہ اس کی ضمانت اور اس کی شادی کا ہے۔آپ خود اس سے شادی کیوں نہیں کر لیتے'' وکیل یہ کہتے ہوئے تیز تیز قدموں سے آگے چل پڑا۔

وکیل کے جاتے ہی شیخ، شان اور اس کا بھائی ایک دوسرے کے ہاتھ پر ہاتھ مار کر ہنس پڑے۔ دونوں خواتین بھی ایک دوسرے کو دیکھ کر ہنسنے لگیں۔صرف نومی سنجیدہ رہا۔ک ک ک کر لے شادی یار نومی......پھر کیا ہوا؟ شانی ہنستے ہوئے بولا۔

نومی نے غصے سے اس کی طرف دیکھا لیکن ابھی کچھ کہہ نہ پایا تھا کہ پولیس کی گاڑی قریب سے گزری۔جس میں دو تین لیڈی کانسٹیبلوں کے نرغے میں گھری ہوئی وہی بے گناہ مجرم لڑکی بیٹھی ہوئی تھی۔اس نے لڑکوں کو دیکھ کر ہتھکڑی والا ہاتھ اوپر اٹھایا تین انگلیوں سے سکاؤٹ سلام کیا اور مسکراتی ہوئی احاطہ عدالت سے باہر چلی گئی۔

سامراج اور سامراجی	لینن	200/-
ریاست اور انقلاب	لینن	200/-
انقلابی لفاظی	لینن	200/-
ہندوستان لینن کی نظر میں (ماضی وحال)	ایرک کوماروف	160/-
ٹالسٹائی کی بہترین کہانیاں	لیوٹالسٹائی	400/-
الکیمسٹ	پاؤلوکوئیلہو/ترجمہ: عقیل عباس سومرو	240/-
فکرِ جی۔ایم۔سیّد اور آج کا پاکستان	ترجمہ وتالیف: عبدالخالق جونیجو	120/-
جہاں پریاں اُترتی ہیں	ڈاکٹر محمد اقبال ہما	300/-
فکر اقبال کا المیہ	ڈاکٹر صلاح الدین درویش	200/-
اُردو صحافت اور سرسید احمد خان	عبدالحیٔ	200/-
شناخت (ناول)	میلان کنڈیرا/ترجمہ: نیئر عباس زیدی	140/-
نوائے سروش (ناول)	یاسر عرفات	140/-
شطرنج لڑکی اور فالتو چیز (افسانے)	جیم فے غوری	120/-
صلاح الدین ایوبی (نیا ایڈیشن)	ہیرلڈلیم	400/-
کس سے دِل کی باتیں کرتے (شاعری)	سیّد ناصر ہاشمی	140/-
مجبوری کے بندھن سارے (شاعری)	سیّد ناصر ہاشمی	140/-
مجسموں کی دنیا	آصف رشید	700/-
وحدانی مذاہب کی بنیاد	ڈاکٹر صولت ناگی	430/-
فیڈل کاسترو	ڈاکٹر صولت ناگی	350/-
دلچسپ	محمد شمس الحق	500/-

یادسہا کن ہوئی (پنجابی شاعری)	اخلاق عاطف	200/-
عکس جاں (شاعری)	عمران ہاشمی	200/-
شبِ گذران (شاعری)	وسیم اشرف رسا	300/-
مشاہیر......اور پنجاب	عزیز علی شیخ	500/-
زندگی سے نفع حاصل کریں	سی۔جی۔ڈوکان/ترجمہ: ڈاکٹر امجد علی بھٹی	180/-
مایوس ہونا چھوڑیں	سویٹ مارڈن/ترجمہ: ڈاکٹر امجد علی بھٹی	200/-
خدا اور تصورِ خدا	علامہ نیاز فتح پوری	300/-
شیطان کی ڈائری	شوکت تھانوی	120/-
ایک بھاشا: دو لکھاوٹ، دو ادب	گیان چند جین	400/-
روسو اور مارکس	جمشید نایاب	300/-
ویرونیکا کی زندگی سے دستبرداری (ناول)	پاؤلو کوئیلہو/ترجمہ: عقیل عباس سومرو	240/-
انقلاب کیوبا کی یادیں	شے گویرا/ترجمہ: فیصل اعوان	340/-
پاکستان کا مستقبل	سٹیفن پی کوہن/ترجمہ: عقیل عباس سومرو	240/-
اُردو کے ضرب المثل اشعار	محمد شمس الحق/ترتیب وتہذیب: رفیق احمد نقش	560/-
پانی کا عالمی تنازع اور پاک بھارت تضادات	ذوالفقار ہالیپوٹو	200/-
انقلابِ روس	شیر جنگ	340/-
انقلابِ مصر	عشرت رحمانی	240-/
اقوامِ مشرق کی تحریک آزادی	لینن	500/-
قومی مسئلے کا تنقیدی جائزہ۔قوموں کا حق خود ارادیت	لینن	200/-
کیمونسٹ سماج	مارکس، اینگلز، لینن	200/-